사랑하지 않아야 할 사람을
사랑하고 있다면

사랑하지 않아야 할 사람을

사랑하고 있다면

사람은 결국 혼자다. 태어날 때나 죽을 때 그렇듯 결국 혼자일 수밖에 없다.

책을 내면서

평소에 친하게 지내고 있던 한 여자가 나에게 물었다. "그를 더 이상 사랑해서는
안 되겠지요?" '왜요?' 라고 나는 반문하고 싶었지만 그럴 수 없었던 것은 그녀의
표정이 너무 쓸쓸했기 때문이었다. 내가 가만히 있자 그녀의 다음 말은 곧
이어졌다. "결코 어떤 보답을 바라서 사랑한 것은 아닌데 나 혼자서만 그를
사랑한다는 것이 왜 이렇게 외로운지 모르겠어요."

사랑한다는 것은 그녀의 말처럼 외로운 일인지도 모르겠다. 사랑받지 못하는 것은
충분히 견딜 수 있으나 사랑할 수 없는 상황이 못내 괴롭다는 사람들. 이 책은 그
사람들을 위해 쓰여졌다. 사랑하지 않아야 할 대상을 혼자서 외롭게 사랑하고 있는
사람들을 위해….

1998.7.   이정하

차례

1장
그대가 생각났습니다

아침 일찍도 오시더군요.
그대인가 했더니, 아침 일찍도 오시는 비.
내 우울함의 시작….

숱한 날들이 지났습니다만
그대를 잊을 수 있다 생각한 날은
하루도 없었습니다.

사랑이 깊어질수록 · 1

사랑이 깊어질수록 그와는 멀어지도록 노력하라. 좁은 새장으로는
새를 사랑할 수 없다. 새가 어디를 날아가더라도 당신 안에서
날 수 있도록 당신 자신은 점점 더 넓어지도록 하라.

사랑이 깊어질수록 · 2

사랑이 깊어질수록 대개의 사람들은 소유와 집착에서 비롯되는
의존의 아픔을 느끼기 시작한다. 하지만 그것이 진정한 사랑의
의미는 아닐 터, 구속하거나 사로잡는 것이 사랑의 전부는 아니기
때문이다. 진정한 사랑은 어떤 것도 원하지 않으며, 모든
애착으로부터도 자유로워지는 것이다. 참으로 신비하게도 사랑은
아무것도 요구하지 않아야 스스로 가득 찰 수 있다. 만일 지금
당신이 진정한 사랑을 하고 있다면 더 이상 바라지도 더 이상
가지려고 하지 않을 것이다. 오로지 사랑 하나로만 가득 차 있기
때문에….

환희

처음에 어린 새가 날갯짓을 할 때는 그 여린 파닥임이 무척이나
안쓰러웠다. 하지만 날갯짓을 할수록 더 높은 하늘로 날아오를 수
있다는 것은 우리 삶이 꾸준히 나아가기만 하면 얼마든지 기쁜
일이 생길 수 있다는 거다. 그렇다. 맨 처음 너를 알았을 때 나는
알지 못할 회열에 떨었다. 하지만 그것도 잠시, 나는 곧 막막한
두려움을 느껴야 했다. 내가 사랑하고 간직하고 싶었던 것들은
항상 내 곁을 떠나갔으므로. 그래도 나는 너에게 간다. 이렇게
나아가다 보면 너에게 당도할 수 있을 것이라는
그 막연한 기대를 가지고. 그렇다. 내가 환희를 느끼는 것은
너에게 가고 있다는 그 자체다. 마침내 너에게 닿아서가 아니라
너를 생각하며 걸어가는 그 자체가 나에겐 더없는 기쁨인 것이다.

아침 일찍부터

아침 일찍도 오시더군요.
그대인가 했더니, 아침 일찍도 오시는 비.
내 우울함의 시작.

그립다는 것은 그대가 내 곁에 없다는 뜻이다.
그립다는 것은 그런 그대가 내 곁에 있어 줬으면 하는 뜻이다.
그립다는 것은 그럴 수 없다는 걸 알고
내 가슴 한 쪽이 시커멓게 타들어가고 있다는 뜻이다.
그래서 그립다는 것은 다시는 못할 짓이다.

단풍잎 사랑

—상처받기가 겁나 사랑하기를 거부하는 사람들에게

혼자 서 있는 허수아비에게
외로우냐고 묻지 마라.
．．．．．．．．．．．．．．．．．．
세상에 태어나
한 사람을 마음 속에 섬기는 일은
어차피 고독한 수행이거니.

그랬다. 내게 있어도 사랑이 모든 것이었던 그런 시절이 있었다.
구석진 골방에 처박혀 죄없는 담배만 죽이던, 긴 밤 내내 전해
주지도 못할 사연들만 끄적이다 날이 뿌옇게 새던 그런 날들이
있었다. 그 어둡고 음습한 시절, 세상에는 사랑으로 인해 더없이
행복한 삶도 있겠지만 때로는 슬픔만 안고 사는 사람도 있다는
것을 그 때 나는 알았다.
그랬다. 사랑은 우리에게 행복만을 가져다 주는 것은 아니었다.
멋모르고, 당연히 사랑은 달콤하고 황홀할 것이라고만 상상하던
나에게 사랑은 너무나 혹독한 시련이었다. 무엇보다 안타까운 것은
두 사람의 감정만으로 사랑이 성사되지는 않는다는 점이었다.

두 사람이 사랑한다고 해서 그 사랑이 이루어지리라 믿은 것은
세상을 너무 쉽게 본 데서 비롯된 오산이 아니었을까. 때문에
두 사람의 감정과는 상관없이 '현실'이라는 높은 장벽이 있음을
깨닫는 것은 견딜 수 없는 고통이었다. 그러나 사랑은, 사랑에
빠진 사람들은… 이상한 구석이 있었다.
그런 경우, 어느 누구를 막론하고 쉽게 포기하는 사람을 나는 보지
못했던 것이었다. 이별할 줄 뻔히 알면서도 그에게 자신의 모든
것을 터뜨린다는 것은 어찌 보면 미련하기 짝이 없는 일이다.
이별이 눈앞에 와 있는데도 그에 대한 미련을 버리지 않고 오히려
더 매진하고 있다면 그런 일을 도대체 어떻게 해석해야 할까.
좀더 심하게 말하면 미친 짓이나 다름없는 일임에도 불구하고
사람들은 끊임없이 그런 사랑에 빠지고 그런 사랑에 전념한다.
어떤 말을 듣더라도 당사자들은 아무런 상관없다는 듯이 자신의
모든 것을 바치는 데에 여념이 없는 것이다. 하기야 세상의 논리에
찌든 얄팍한 정신으로 어떻게 사랑을 하겠는가. 이해득실을 따지고
계산에 치우친다면 그 사랑은 이미 사랑이 아닌 계약일 뿐일 텐데.

언젠가 헤어져야 한다는 것을 알았기에
그 안에 난 내 모든 것을 풀어 놓았다.
가을날, 단풍잎에게 가서 물어 보라.
낙엽이 되어 떨어질 걸 뻔히 알면서도
왜 그 순간까지 자기 몸을 남김없이 태우는지.

서로 사랑하면서도 끝내는 헤어질 수밖에 없는 상황, 그 안타까움
속에서도 최선을 다하는 연인들의 모습은 그래서 진정 아름답다.
기실, 사랑으로 인해 가슴 아파해 본 사람들은 알리라. 사랑은
결국 나 자신의 존재마저도 그대에게 주는 것임을. 한 방울의 물이
시냇물에 자신을 내어 주듯, 또 그 시냇물이 강물과 바다에 자신을
내어 주듯 사랑이라는 것은 자신의 모든 것을 그대에게 주는
것이나 다를 바 없다는 것을. 그러기에 많은 사람들이 기꺼이,
나는 눈물겹더라도 너만은 눈부시도록 하는 데 주저함이 없지
않은가.

결국 나는 살아가면서 유일한 가난함이란 가슴 속에 '사랑'이
없는 것임을 말하고 싶다. 비록 슬픔이 대부분을 차지한다 해도
사랑이 있었기에 우리 삶이 넉넉할 수 있었지 아니한가. 비록
그 사람은 곁에 없지만 그를 사랑할 수 있었다는 사실 하나만으로
충분히 행복했다고 생각하면서. 상처받는 것이 겁나 사랑하기를
거부하는 사람들이여, '사랑'을 빠트려놓고 한번 살펴보라. 당신의
인생에서 도대체 가치로운 것이 무엇이 있는가를.

주저하지 말 것

애써 외면하지 말 것. 그가 내 마음 속에 자리하고 있음을.
그 사실을 인정한다면 마음의 문을 열 것. 내 사랑이 그에게
막힘없이, 또 자유롭게 흘러 넘치도록.
그 사랑이 마치 서녘 하늘에 펼쳐 놓은 노을과도 같아 그걸
바라보는 그의 가슴까지 적셔 줄 것. 이젠 더 이상 뒤에 물러서
있지 말 것. 사랑을 보여 주기를 주저하지 말 것. 설혹 그 사랑이
괴롭더라도 과감히 부딪칠 것. 소심하게 앉아만 있지 말 것.

등잔 밑

어디에서 나를 찾는가, 나 당신과 가장 가까이 있는 것을.
어디쯤서 나를 기다리는가, 나 당신의 마음 안에 있는데.
진작부터 나 당신의 내부에서, 내가 여기 있다는 것을
당신이 알아 주기만을 바라고 있는데….

사랑에 대한 확신과 신념

헤르만 헤세의 『데미안』을 읽다 보면 아주 가련한 사랑 이야기가
나온다. 자신에게 연모의 정을 품고 있는 아들의 친구
징클레르에게 에바부인은 사랑에는 확고한 신념과 의지가
필요하다는 뜻에서 다음과 같은 말을 해 준다.
"사람은 누구나 가망없는 일에 열중하면 안 돼요. 당신이 지금
무엇을 원하고 있는가를 나는 알고 있어요. 자신과 가능성이 없는
일은, 그것이 어쩔 수 없는 충동에 의한 것이라 하더라도 체념해야
하지요. 만약 도저히 체념할 수가 없을 때는 그것을 철저하게
원하고 적극적으로 행동해야지요. 자신의 소망을 틀림없이
실현시킬 수 있다는 확신을 가지고 적극적인 행동을 취하면
그 소망은 반드시 이루어지는 법이에요. 그런데 당신은 무엇인가를
소망해 놓고도 곧 그것을 후회하고 있어요. 그러면 안 돼요.
한 가지 목표를 세우면 거기에 방해가 되는 것은 모두 제거해
버려야 해요."
그리고 나서 에바부인은 별을 사랑한 한 청년의 이야기를 예로
들어 주었다.

그 청년은 바닷가에서 두 손을 하늘로 뻗치고 그 별에게 연모의
정을 바쳤다. 그러나 인간이 하늘의 별을 안을 수 없다는 것은
그 청년도 알고 있었다. 그러나 청년은 실현될 가능성이 전혀
없는데도 별을 사랑했다. 그것이 자기 운명이라고 생각했던
것이다. 그리고 그 운명에 순종함으로써 자기의 마음을 순화하는
침묵과 체념과 고뇌의 노래를 불렀다. 그의 모든 꿈은 한결같이
별을 향하고 있었다.

어느 날 밤, 그 청년은 바닷가 절벽 끝에 서서 별을 쳐다보며
운명의 연정으로 몸을 태웠다. 별을 사랑하고 별을 그리워하는
절실한 상념이 극에 달했을 때, 그는 별을 향해 몸을 던졌다. 순간,
'이루어질 수 없는 사랑이다. 불가능하다'라는 생각이 번개처럼
머리를 스치고 지나갔다. 그러나 이미 때는 늦었다. 그의 몸은
별이 있는 하늘과는 정반대쪽인 바닷가 암석 위에 떨어져 산산이
부서지고 말았다. 그 청년은 '사랑'을 모르고 있었던 것이다.
허공에 몸을 날린 순간, 그 별과의 사랑이 틀림없이 이루어진다고
확신하는 영혼의 힘이 그에게 있었다면 그는 하늘 높이 올라가
별과 맺어졌을지도 모를 일이었다.

말하자면 에바부인은, 사랑에는 확고한 신념과 의지적인 행동을
할 수 있는 힘이 필요하다는 것을 연인이자 아들의 친구인
징클레르에게 별을 사랑한 청년의 이야기를 통해 암시한 것이다.
그러면 의지력만 있다면 과연 모든 사랑은 이루어질 수 있는가?
안타깝게도 나는 그럴 수 없다고 믿고 있었다. 얽히고 설킨 관계

속에서 살아가는 것이 우리가 사는 세상인지라 아무리 의지력이
있다 해도 이룰 수 없는 것이 있다고 생각했던 것이다. 그러나
에바부인은 바로 그 점을 우려하고 있었다. '사랑'을 확신하고
있다면 이루어지고 안 이루어지고를 두려워하지 마라. 신념만
깊다면 하늘 높이 떠 있는 별과도 맺어질 수 있다는 것. 그러면서
그녀는 또 다른 이야기를 징클레르에게 해 줬다. 이번에는
짝사랑에 빠진 또 다른 청년의 이야기였다.

그 청년은 완전히 자기의 영혼 속에 틀어박혀 이룰 수 없는 사랑의
쓰디쓴 그림자를 핥으면서 죽고 싶다는 생각만 하고 있었다.
그에게는 아무것도 들리지 않았다. 푸른 하늘도 없고 아름다운
숲도 없었다. 하프의 소리도 시냇물 소리도 없었다. 세계에서
버림받은 그 청년은 가엾고도 비참한 인간으로 전락하고 말았다.
그는 이루어질 가능성이 없는 짝사랑으로 말미암아 세계를 잃은
것이다.
그러나 아름다운 그 연인에 대한 사랑은 깊어가기만 했다.
그럴수록 절망감도 더해갔다. 그는 사랑하는 여성을 자기 품에
안지 못할 바에는 차라리 죽어 버리는 편이 낫다는 생각을
실천으로 옮길 각오를 했다. 그러자 갑자기 그 사랑의 불길이 자기
내부에 있는 모든 것을 불태워 버리는 것을 느꼈다. 그 순간부터
사랑은 위대한 힘을 발휘하여 연인의 마음을 끌어당겼다.
그 때까지 청년의 사랑을 전혀 외면하고 있던 그 여성은 비로소
그의 사랑을 받아들였다. 그리고 청년을 찾아갔다. 청년은 두 팔을

벌리고 여인을 안으려고 했다.

그런데 이상하게도 그 연인이 청년 앞에 섰을 때, 그녀의 모습은 전혀 다른 모습으로 다가오는 것이었다. 청년은 자기가 잃었던 세계 전체를 자기 힘으로 끌어당겨 자기 곁에 머물게 한 데에 전율을 느꼈다. 청년 앞에 서 있는 것은 세계였다. 그가 다시 찾은 세계였다. 그 세계가 그의 의지력에 이끌려 그에게 몸을 내맡긴 것이다.

하늘과 숲과 냇물이 새롭고도 생기가 넘치는 빛깔로 몸을 가꾸고 그 청년을 마중나왔다. 세상의 모든 것이 그의 소유가 되었으며, 그의 운명을 이야기했다. 그 청년은 그의 사랑을 실현함으로써 단 한 사람의 여자를 얻는 동시에 전세계를 자기 품에 안을 수 있었던 것이다.

"신념과 힘이 있으면 연인의 사랑을 자기 쪽으로 끌어당기게 됩니다. 그렇게 되면 연인에게 사랑을 호소할 필요도, 요구할 필요도 없게 되지요. 상대방에게 마음이 이끌리기만 하는 사랑은 언제나 슬프지요. 징클레르, 당신의 사랑은 내게 이끌려 다니고 있어요. 언제라도 좋습니다. 당신의 사랑이 내 마음을 끌어당기게 되면 나는 기꺼이 따라가겠어요. 나는 스스로 나를 바치고 싶지 않아요. 의지적인 행동과 확신의 힘을 가진 사랑에 의해 정복되기를 바라고 있어요."

사랑이란 애걸만 해서도 안 되고 요구만 해서도 안 된다는 전제하에 에바부인이 내린 결론이었다. 그녀의 이야기를 들으며 나는 생각했다.

사랑이란 과연 아름답지 않은가. 비록 우리를 고독하게 하는 면이
있다 할지라도 그것만이 우리를 본연의 위치로 돌아가게 한다.
아직 이루지 못한 사랑이 있다면, 그래서 괴로운 사람이 있다면
사랑할 수 있다는 그 사실만으로도 감사하게 생각할 일이다.
그 사랑에 확신을 가지고 있는 한 언젠가는 영롱한 꽃을 피울 수
있으니.

포기할 수 없는 사랑

서로 사랑하지만 그 사랑이 이루어지지 못하는 경우가 흔히 있다. 서로 사랑하지만 사랑해선 안 될 경우가 바로 거기에 해당된다. 자신의 뜻대로, 자신의 마음먹은 대로 세상을 살아갈 수 있다면 그 같은 경우는 훨씬 줄일 수 있겠으나 불행히도 세상은 그렇지 못하다. 우리가 사는 세상에선 지켜야 할 규범과 관습이 있는 것이다. 그것을 무시한다면 세상은 온통 뒤죽박죽인 채 예로부터 지켜온 질서가 엉망이 되고 말 것이다. 그 틈바구니에서 사랑은, 서로 사랑해선 안 될 사람은 절망할 수밖에 없다. 비통해하다못해 끝내 죽음에 이르고 마는 안타까운 사람들, 그 사람들은 내세에선 더없이 순수한 영혼으로 태어나리라. 그리하여 못다 한 사랑을 활짝 피우리라.

그리스 신화에 보면 린더라는 청년이 나온다. 그는 어느 날 축제에서 만난 한 여자를 사랑하게 되는데 바로 그 여자가 사랑해선 안 될 운명, 비너스 여신의 시녀였던 헤로였다. 하지만 두 사람의 사랑은 남들의 눈을 피해서 더욱 뜨겁게 타오르기 시작했고, 린더는 헤로를 만나기 위해 밤마다 목숨을 건 모험을

감행했다. 헤로를 만나기 위해선 4마일이나 되는 해협을 헤엄쳐
건너야 했으므로. 그러던 어느 날, 태풍이 거세게 몰아치던 밤에도
린더는 헤로를 만나기 위해 해협에 몸을 던졌다. 그러나 헤로의
창가에 걸어 둔 등불이 꺼져 버려 방향을 잃어 버린 린더가 바다에
빠져 죽게 되고, 이튿날 싸늘한 그의 시체를 보게 된 헤로 역시
비통에 싸여 바다에 몸을 던져 버린다는 비련의 이야기.

사랑은 우리에게 지고한 행복감을 가져다 주기도 하지만 동시에
한없는 슬픔과 번민을 안겨 주기도 한다. 사실 지금까지 내려오는
수많은 문학작품 속에선 사랑의 기쁨보다는 사랑의 슬픔이 주제가
된 것이 많다. 왜 그럴까? 그것을 난 기쁨보다는 슬픔의 여운이
훨씬 큰 탓이라고 여기고 있다. 쉽사리 잊혀지는 기쁨에 비해
가슴 속에 지워지지 않는 앙금으로 남아 있기 십상인 슬픔. 하기야
우리가 살아가는 일 또한 그와 다르지 않다. 따지고 보면 기쁨보다
슬픔이 많은 우리네 삶. 그렇다고 우리가 삶을 포기할 수 없듯
슬픔이 많다고 해서 우리가 어찌 사랑을 포기할 수 있으랴.
이 세상이 아니면 저 다음 세상에서라도.

불꽃 같은 사랑

렘브란트 이후 네덜란드에서 가장 위대한 화가로 평가받았던
빈센트 반 고호. 많은 예술가들이 그렇듯 그도 정열적인 사랑을 한
사람 중의 하나였다. 어느 여름철, 그는 젊은 미망인인 케이
포스를 만나게 되어 이내 그녀를 깊이 사랑하게 되었다. 하지만
그녀는 외삼촌의 딸이었고, 그러한 상황 때문에 좀처럼 그녀의
마음은 움직여지지 않았다. 그가 구혼의 편지를 써 보낼 때마다
모두 개봉되지 않은 채 되돌아왔으니까. 그러나, 그녀를 포기할 수
없었던 그는 주위의 반대를 아랑곳하지 않고 그녀의 마음을
돌리는 데 심혈을 기울였다. 어느 날, 그가 그녀의 집을 방문했을
때 그녀는 외출했다는 대답이었다. 마침 저녁식사 때였는데 그가
문득 테이블을 보니 반쯤 먹은 요리 그릇이 빈 자리에 남아
있었다. 자기가 온 것을 알고 외삼촌이 그녀를 숨겼다는 것을
알아차린 그는, 순간적으로 옆에 있던 촛불 속으로 손을
집어넣으며 이렇게 말했다.
"이 불꽃 속에 손을 넣고 있는 동안만이라도 좋으니 그녀를
만나게 해 주십시오."

관심

사랑을 깨닫는 일은 아주 쉬운 일 같지만 반드시 그런 것만은
아니다. 마치 우리가 늘 접하고 있으면서도 있는지 없는지
무감각한 공기처럼. 사랑은 우리가 살아가는 데 있어 한 순간도
우리 곁을 벗어난 적이 없지만 깨닫지 않는 자에겐 존재하지 않는
묘한 것이다.

대개의 사람들은 처음 사랑을 접했을 때 아주 사소한 것에서도
그 이상의 희열을 느낀다. 사랑하는 사람이 자신에게 보여 주는
관심과 애정에 대해 더없이 행복해하고 고마워한다. 하지만 왜
갈수록 덤덤해지는 것인지. 처음엔 아주 작은 것에도 감동하지만
나중엔 그것보다 더 큰 것에도 왜 시큰둥한 것인지. 그것이 바로
사랑을 멀어지게 하고 있다는 것을 알아차렸다면 지금 바로 한
장의 엽서라도 쓸 일이다. 그래서 당신이 사랑하는 그 사람에게
전과 다름없는 마음을 비춰 주어야 한다. 새로운 사랑을 찾아
방황하지 않으려면.

내 마음의 톱밥난로

춥다. 옷을 두껍게 입었는데도 춥다면 그것은 마음이 추운 탓이다.
아무리 내의를 입어 본들 사랑의 내의를 갖춰 입지 않았다면
우리는 추울 수밖에 없다.
겨울이 닥치면 사람들은 저마다 부산하다. 하지만 난로를 몇 개
더 들여놓는다고 해서 추위가 가실 것인가.
난방시설이 아무리 좋기로서니 겨울이 혹독하지 않을 것인가.
아니다. 마음이 춥다면 몸은 더욱 움츠러들기 마련이다. 마음을
따스하게 하는 법, 그것만이 겨울을 온전하게 날 수 있는
방법임에도 불구하고 사람들은 무작정 이불 속으로만 파고든다.
나만 춥지 않다고 해서 춥지 않은 것인가. 그것도 아닐 것이다.
다른 사람이 춥다면 나도 추울 수밖에 없다.
나 혼자만 사는 세상이 아니기에 그렇다. 추운 겨울엔 더더욱
마음을 열어야 한다. 마음을 넓게 열어 나보다 훨씬 더 추운
사람에게 관심을 가져야 한다. 그러면 그 관심과 사랑으로 인해
상대방은 물론 나 자신 또한 더없이 따스해지는 것을 느낄 수 있을
것이다.

거리에서 신문을 파는 가난한 소년이 있었다. 매서운 바람이 쌩쌩
부는 어느 추운 겨울날에도 소년은 변함없이 신문을 팔고 있었다.
그러나 날씨가 너무 추워서 그런지 사람들은 집에 가는 걸음만
재촉할 뿐 신문은 거들떠보지도 않았다. 소년의 뺨은 얼어붙어
터질 듯했지만 소년은 신문 팔기를 멈출 수 없었다. 집에선 자신을

기다리는 배고픈 동생들이 있었기 때문이다.

오늘 같은 날이면 교통사고로 돌아가신 부모님 생각이 더욱
간절하다. 부모님이 살아 계셨더라면 지금쯤 따뜻한 방에서 재롱을
부릴 나이였지만 그 소년은 이를 악물고 신문을 한 장이라도 더
팔기 위해 애를 쓴다. 그 때 문득, 소년 옆을 지나치던 할아버지
한 분이 멈춰 서서 소년을 불렀다. 그는 신문값보다 많은 지폐
한 장을 꺼내 주며 소년의 손을 잡았다.

"이런, 손이 다 얼어 버렸네. 몹시 춥겠구나."

할아버지의 손은 따스했다. 그러자 소년은 환히 웃으며 고개를
꾸벅 숙이고 인사를 했다.

"고맙습니다, 할아버지. 이젠 춥지 않습니다."

조그마한 관심이, 그 사랑으로 손을 잡으면 마음까지 따스해지는
것은 물론이다. 그런 훈훈한 미덕으로 인해 우리 사회는 지탱되어
왔고, 또 지탱되어 갈 것이다. 그런데 우리는 언제부턴가 마음의
문을 닫아 두기 시작했다. 내 눈에 다래끼 난 것은 아파도 남의
눈에 종기 난 것은 아파하지 않고 있다. 나만 탈이 없으면 그뿐
남은 아무래도 상관없다는 식이다. 함께 길을 걸어가는
동반자로서의 '우리'가 아니라 내가 짓밟고 일어서야 할 '남'만
존재하고 있다.

때로 친구의 우정어린 충고나 격려가 있어도 뿌리치기 일쑤다.
무슨 흑심이나 있지 않을까 끊임없이 의심하고 경계하며, 뒤로는
그 친구보다 한 발짝 더 앞서기 위하여 신발끈을 동여매고 있다.

남을 위해 발길에 채는 돌멩이 한 번 집어 낸 적 없으며 앉아
쉴 수 있는 의자 한 번 마련해 준 적 없다. 그러니 동료도 없고,
친구도 없고, 우리 마음이 추울 수밖에.

하지만 한번 생각해 보자. 아무리 난방시설이 잘 되어 있고 좋은
곳이라 하더라도 자기 혼자밖에 없다면, 그 덩그런 곳에 오로지
자기 혼자만 살고 있다면 그 삶은 쓸쓸하고 외롭지 않을까. 어린
날에 읽었던 동화 속의 얘기처럼 아이들이 찾아오지 않는 거인의
집에는 혹독한 겨울만 계속될 뿐이다. 그러니 우리 더 이상
추워지기 전에 마음을 열자. 대문을 열고 아이들을 맞이했더니
금세 그 집 마당에 봄이 온 것처럼, 우리도 문을 열어 내 마음을
나눠 줘 보자. 그래서 그것이 얼마나 따스한 것인지 느껴 보자.

브라질 작가 바스콘 셀로스의 작품 『나의 라임 오렌지 나무』에는
'제제'라는 주인공 소년이 나온다. 그 소년은 너무 못 먹고 자라서
키가 작았다. 학교에 들어갔지만 도시락 한 번 싸 가는 일도
없었다. 그래서 담임 선생님은 이 불쌍한 소년에게 가끔 동전을
주었다. 빵이라도 사먹어서 허기를 면하라고 말이다.

하지만 준다고 해서 소년은 돈을 다 받는 게 아니었다. 애써
사양했지만 어쩔 수 없는 경우에만 그 돈을 받곤 했다. 그 이유를
선생님은 곧 알게 된다. 자기 반에는 그렇게 밥을 못 먹는 가난한
아이가 또 있었기 때문이었다. 그리고 선생님은 제제가 돈을 줄
때마다 빵을 사서 그 가난한 아이와 함께 먹고 있었다는 것도 알게
되었다. 그 아이는 제제보다 더 작고, 가난하고, 아무도 놀아 주지

않는 아주 새까만 흑인아이였다. 그러나 제제는 자기가 배가
고픈데도 불구하고 자기보다 더 가난한 그 아이에게 빵을 나눠
주었다. 그리고 함께 놀아 주었다.

살아가는 데 유일한 가난함이란 가슴 속에 사랑이 없는 것이리라.
삶이 사랑으로 가득 채워졌을 때 그것은 더할 나위 없이 행복한
나날들이 된다. 그러고 보면 베푼다는 것은 꼭 많이 가진 자만이
행하는 것은 아닌 모양이다. 제제라는 소년은 도시락도 못 싸 갈
만큼 가난했지만 자기보다 더 가난한 친구가 있다는 것을 알고
기꺼이 빵 한 조각을 나눠 먹었다. 없는 사람이, 그리고 적은
것이라도 베푸는 행위는 있는 사람의 그것보다 훨씬 더 고귀하고
아름다운 사랑이 아닐까.
혹시 나는, 나한테 필요없는 것까지도 꼭 움켜쥐고 있지는 않는지
한번 살펴보자. 나한테 필요없는 그것이 꼭 필요한 사람은 세상에
얼마든지 많다. 그 사람들을 위해서 나한테는 하등 소용없는
그 물건을 이제 그만 넘겨줌은 어떨는지? 내게는 조금
모자라더라도 하나도 없는 사람들을 위해 약간 나눠줌은 어떨는지?
그래, 세상은 그렇게 사는 것이다. 바닷가 백사장의 모래알처럼
서로 어우러져 살아야 한다. 그래야 아름답다. 그래야 외롭지 않다.
서로 도와가며 사는 세상, 어깨를 부여안고 서로 의지하며 사는
세상이 얼마나 아름다운 것인지 보여 주려고 신(神)은 우리에게
겨울을 내려 주었다. 겨울이 왜 춥겠는가. 서로 손을 잡고 살라고
추운 것이다.

그대가 생각났습니다

햇살이 맑아 그대가 생각났습니다. 비가 내려 그대가 또
생각났습니다. 전철을 타고 사람들 속에 섞여 보았습니다. 그래도
그대가 생각났습니다. 음악을 듣고 영화를 보았습니다만 외려 그런
때일수록 그대가 더 생각나더군요.
그렇습니다. 숱한 날들이 지났습니다만 그대를 잊을 수 있다
생각한 날은 하루도 없었습니다. 더 많은 날들이 지나간대도
그대를 잊을 수 있으리라 생각하는 날 또한 없을 겁니다.
장담할 수 없는 것이 사람의 일이라지만 숱하고 숱한 날 속에서
어디에 있건 무엇을 하건 어김없이 떠오르던 그대였기에 감히
내 평생 그대를 잊지 못하리라, 잊지 못하리라 추측해 봅니다.

당신이 내게 남겨 준 모든 것들, 하다못해 그대가 내쉬던 작은
숨소리 하나까지도 내 기억에 생생히 남아 있는 것은 아마도 이런
뜻이 아닐는지요. 언젠가 언뜻 지나는 길에라도 당신을 만날 수
있다면, 스치는 바람편에라도 그대를 마주할 수 있다면 당신께
모조리 쏟아부어 놓고…, 펑펑 울음이라도…, 그리하여 담담히
뒤돌아서기 위해섭니다. 아시나요, 지금 내 앞에는 그것들을
돌려 줄 대상이 없다는 것. 당신이 내게 주신 모든 것들을 하나
남김없이 돌려 주어야 홀가분하게 돌아설 수 있다는 것을.
오늘 아침엔 장미꽃이 유난히 붉었습니다. 그래서 그대가 또
생각났습니다.

2장
차마 하지 못한 말들

애써 외면하지 말 것.
그가 내 마음 속에 자리하고 있음을.

내가 그대에게 차마 하지 못한 말들,
그 안타까운 마음들이 모두 모여 서쪽 밤하늘에
가장 찬란하게 빛나는 별이 되었다는 사실.

외로운 사랑

오랜 시간 동안 나는 당신의 옆에 서 있었습니다.
아는지 모르는지 당신은 내게 눈길 한 번 안 주더군요.
그래서 쓸쓸했습니다.

내가 당신을 사랑하면 할수록
더 철저하게 외로워지는가 봅니다.

속마음

한때, 사람의 마음을 꿰뚫어 볼 수 있다면 얼마나 좋을까 하는
생각을 해 본 적이 있습니다. 그 사람이 지금 무슨 생각을 하고
있는지 알 수 있다면 나는 아마도 이마의 주름살을 몇 개나 덜 수
있었을 겁니다. 열 길 물 속보다 알기 힘들다는 사람 속,
다 알았다고 생각했다가도 끝내는 하나도 알지 못할 것 같은 그대
속마음.

사람들은 누구나 한두 개쯤의 가면을 쓰고 있다고 하더군요. 나는
어쩌면 그대가 쓰고 있는 가면을 사랑하고 있는 것은 아닌지….

되풀이할 수 없는 사랑

가까이 있을 때는 몰랐습니다. 외려 그대가 가고 난 뒤에야 그것이
사랑인 줄 알았습니다. 같은 꿈을 되풀이해서 꿀 수 없는 것처럼
내 사랑도 되풀이해서 할 수 없다는 것을 알았을 때는 아아 그대가
멀리 떠나간 뒤였습니다. 나는 왜 항상 너무 늦게 느끼는지,
언제나 지난 뒤에 후회해 보지만 되돌릴 수 있는 것은 아무것도
없습니다. 그렇습니다. 세상의 모든 일은 모두가 다 내가 희망하는
반대편에 있었습니다. 그대가 곁에 있을 때는 덤덤하더니 막상
그대가 가고 없으니 왜 이리 그리운지요. 내가 원하지 않는 것은
내 주변에 많으나 막상 내가 원하는 것은 항상 멀리 떨어져 있는
이 이율배반적인 삶. 허망하고 허망하여라. 오늘 아침, 잠에서 깨어
어쩌면 삶은, 사랑은 깨어진 꿈처럼 허망한 것일지도 모른다는
생각을 언뜻 가져 보았더랬습니다.

별

오랫동안 내 가슴에 담아 둔 말들은 밤이 되면 하늘로 올라가 별이
됩니다. 내가 그대에게 차마 하지 못한 말들, 그 안타까운
마음들이 모두 모여 서쪽 밤하늘에 가장 찬란하게 빛나는 별이
되었다는 사실. 그대는 아마 모를 겁니다. 내 가슴을 온통
타들어가게 만들어 놓고 멀리서만 빛나는 별 하나를.

질마재 신화

서정주 님의 『질마재 신화』에 나오는 「신부」란 시를
기억하십니까? 첫날 밤 집 떠난 신랑을 기다리다, 40년인가
50년인가 지난 뒤에도 초록저고리 다홍치마 그 모습 그대로 앉아
있다, 신랑이 만지자 끝내 한 줌 재로 폭삭 내려앉았다는 신부의
이야기를.

떠나기만 하면 그대는 너무 오래 기다리게 했지요. 평소에는
따뜻하다가도 떠나기만 하면 왜 그리 무정한지 엽서 한 장, 전화
한 통 없었지요. 그대 향해 온통 신경이 쓰여 있는데 무슨 일이
제대로 될 리 없지요. 지금 어디쯤 오고 있습니까? 그것만
알더라도 마음이 놓일 텐데. 아십니까? 기별이 오기만을 기다리는
나에게 그대는 너무 가혹하다는 것. 한 줌 재로 폭삭 내려앉은
다음에야 그대 또한 오시렵니까.

이별은 상처가 아니라 자유였다

—신세대식 사랑법

만약, 어린왕자가 사막에 떨어지지 않고 서울의 압구정동이나 홍대 앞 같은 번화가에 떨어졌으면 어떻게 됐을까? 라는 의심을 품어 본 적이 있다. 혹시 그 호기심 많은 어린왕자는 비행청소년이 되지 않았을까, 하는 생각에서. 적어도 압구정동이나 홍대 앞 같은 거리를 걸어 본 사람들은 그와 같은 나의 생각에 고개를 끄덕일 수 있으리라.

신세대, 혹은 요즘의 젊은이들은 끊임없이 흐른다. 밤거리의 휘황찬란한 네온사인처럼, 그 아래를 무리지어 걸어가는 사람들처럼 그들은 도무지 한 곳에 머물러 있으려 하지 않는다. 이 카페에서 저 카페로, 이 술집에서 저 술집으로, 심지어는 이 사람의 가슴에서 저 사람의 가슴으로. 한 잔의 커피를 마시기 위해 서울 근교의 분위기 좋은 곳을 찾아가는 수고로움도 마다하지 않는 그들이고 보면 그들에게 있어 그건 자연스런 흐름이었다.

누군가를 기다리는 데에 도가 튼, 그리운 것, 갖고픈 이름 하나를 가슴에 품고 참는 데에 명수인 예전의 우리와는 판이하게 다른 모습이었다. 기다리거나 서성이는 수동적인 자세에서 벗어나, 소매

걷어붙이고 직접 찾아나서는 적극성을 소위 신세대라 불리는
요즘의 젊은이들은 서슴없이 보여 주고 있었다.

"이유요? 그런 건 없어요. 맘에 드는 남자가 있어, 내가 너를
좋아하고 있다고 고백하는 데 무슨 이유가 있겠어요. 좋아하는
감정을 숨기고 혼자서만 끙끙대는 건 위선이고 자기 기만
아니겠어요?"
모 대학 2학년에 재학 중이라는 현애는 아슬아슬한 그녀의
옷차림만큼이나 간결하게 정답을 말한다. 마음에서 마음까지 가는
그 어려운 노정이 그녀에게는 결코 어려운 일이 아닌 것이다.
속옷을 그대로 착용한 듯한 웃옷과 초미니의 짧은치마, 요즘
유행하는 선글라스를 머리에 걸친 현애는 누가 봐도 예쁘다.
솔직히 낯이 붉어지는 흑심이 절로 품어질 만큼 관능미가 철철
넘쳤다. 그래서 그런 자신감이 나온 것은 아니었을까. 이런 애의
구애를 싫다할 남자는 적어도 없을 테니까. 따라서, 뒤의 결과가
궁금했다.
"그런데 짜식이, 사귀고 있는 여자가 있더라구요. 그래서 관둬
버렸어요."
매사가 그런 식이었다. 우선 고민이 없고 쉽고 속전속결이고
당당하고 거침이 없다.
"그런데 말이에요, 녀석이 나하고도 어떻게 좀 해 보았으면 하는
눈치를 보이더라구요. 그래서 마시던 커피를 녀석의 얼굴에다 부어
버리고 나왔죠. 여태껏 이런 놈을 좋아한 내 자신이 한심스럽다

생각하면서 말이에요."

나는 여기서 내 자신을 돌아보지 않을 수가 없었다. 어느덧
기성세대가 되어 스스로 색안경을 끼고 이들을 보려 했던 내 슬픈
발악을 말이다. 이들은 결코 내가 상상해 오던 것처럼 속이 텅
비거나 부패해 있는 그런 모습은 아니었다. 오히려 알토란처럼
알이 꽉 차 있었음을. 치마의 길이와 노출의 정도만으로 이들에
대한 잣대를 재오던 내 촌스런 의식이라니.

비로소 나는 쓸쓸한 심경이 되었다. 내가 여태껏 이들의 세계에
험담을 하고 폭언을 서슴지 않았던 것은 이들의 세계에서 밀려난
약오름과, 이들의 세계에 끼여들 수 없는 질투 때문이라는
생각에서였다.
사랑은 젊은 사람들만의 몫인가? 그렇게도 나는 스스로 항변해
봤다. 결론은, 아니다, 그럴 리는 없을 것이다, 였다. 그럼에도
불구하고 사랑이 젊은 사람들의 특권인 양 해석되어 온 것은
그네들의 사랑이 그만큼 건강하기 때문이 아닐까.
적어도 현애에게선 그것을 진하게 느낄 수 있었다. 어둡고 음습한
구석에서 벗어나 밝고 열린 공간에서 자신을 당당하게 드러내는.
그리하여 진정하게 사랑했던 대상일지라도 구차하게 매달리지
않으며 당당하게 뒤돌아 설 수 있는. 그것은 어쩌면 우리 세대들이
일구어 낼 수 없었던, 그리하여 우리가 진정으로 바라마지 않았던
건강한 감성일 것이다.
그럼에도 불구하고 이전세대들이 이들을 보는 눈초리가 결코

곱지만은 않다. 물론 현애가 이들 세대를 대표하는 것도 아니고, 이들 세대 모두가 현애처럼 건강한 감성으로 사랑을 나누며 세상을 살아 나가는 것도 아니다. 개중에는 무분별한 교제와 무절제한 성행위로 기성세대의 눈살을 찌푸리게 하는 친구도 분명 있으니까.

그러나 그런 부정적인 요소들만을 강조해 그들 모두를 문제아 집단으로 만드는 것은 온당치 않다는 생각이다. 문제는, 그들의 가슴 속은 보지 않고 아슬아슬한 옷차림만을 보았던 우리의 색안경 낀 눈일 뿐이었다.

"편하고 예쁘잖아요? 남의 눈을 의식해서 입진 않아요. 내가 좋아서, 그리고 내가 만족하면 그만이죠."

초미니스커트에 대한 신세대 여성들의 한결같은 대답이다. 이처럼 정작 당사자들은 덤덤하다. 예민하게 반응하는 것은 그것을 군침 흘리며 지켜보는 남자들의 시선일 뿐이다. 치마 길이 하나만으로 도덕의 잣대를 댄다는 것은 시대에 맞지 않는 구세대들의 낡은 사고방식일 뿐이다.

"어른들과 부모들은 왜 우릴 당신들이 생각하고 있는 인간으로 만들려고만 하는 건지 이해할 수가 없어요. 우리 스스로가 우리 자신을 만들게 하지 않고 말이에요."

더블 X세대라는 어느 여고생의 말을 나는 겸허하게 인정한다. 기성세대들이 만들어 놓은 세상에 적응하지 못하고 반항, 혹은 방황하는 신세대들 또한 많다는 것도. 그런데도 기성세대들은

자신들이 만들어 놓은 세상은 전혀 고려하지 않고 거기에
얽매이지 않으려는 신세대들만 탓하고 있음을.
하지만 신세대들이여, 이런 그대들의 부모와 삼촌, 고모들을
너그럽게 이해해야 하지 않을까. 땀에 찌들은 작업복이 최고였던
당시의 시대상황을, 그대들을 키우기 위해 파출부도 서슴지 않았던
그대들 부모의 굵은 손마디를 진정으로 이해해야 하지 않을까.
어찌 아름다운 것이 선탠과 머드팩으로 치장된 그대들의
얼굴만이겠는가. 꼭두새벽에 일어나 그대들의 도시락을 싸기 위해
눈 비비던 어머니의 눈곱 낀 얼굴 또한 아름답지 않은가.
그 구차한 변명을 사랑해 다오.
"Sex란 것도 그래요. 잡지나 신문지상에서는 우리가 마치
화냥년이나 된 것처럼 떠들어대고 있는데 사실 그런 애들은
극소수일 뿐이에요. 순결이란 것도 뭐 대순가요. 남자는 괜찮고
여자는 안 된다는 그런 억지논리가 어디 있어요. 어른들은 룸살롱
가서 요상한 짓 다 하면서 우리가 손잡고 뽀뽀하는 건 왜
안 된다는 거예요."
그랬다. 신세대들의 매몰찬 항변에 내가 무슨 말을 할 수가 있으랴.
순결은 결코 처녀막 따위에 있지 않다는 그네들의 당당함에. 오늘
만난 사이라도 마음만 맞으면 곧장 여관으로 갈 수도 있으며,
사실은 그런 생각만 갖고 있을 뿐이지 실제로 행동에 옮기는 애는
극히 드물다는 울분 섞인 토로에.

가슴에서 느끼는 대로 행동하는 데 주저하지 않는 신세대. 나 역시

그들처럼 그런 시기를 거쳤지만 우리의 그것보다는 그들이 훨씬
대담하고 용감하다는 것을 인정하지 않을 수가 없다. 우리 때보다
훨씬 자유롭고 풍요로운 시대의 소산일까? 내가 세상을 위해
존재하는 것이 아니라 세상이 나를 위해 존재한다는 사실에
추호도 의심스러워하지 않았던 그들이기에 오로지 남을 위해
헌신하기만을 강요받아온 기성세대와는 점차 틈새가 벌어졌으리라.
교제를 할 때에도 신세대들은 자신이 바로 세상의 중심이 된다는
그 점을 엄격히 적용하고 있었다. 이기적인 '나'가 아니라 당당한
'나'로서. 예컨대, 쟤가 날 사랑하지 않으면 나도 쟬 사랑할
필요가 없다는 식이다. 그리고 상대가 사랑하는 만큼만 사랑한다고
한다. 과연 그것이 가능한 일일까? 그 부분만큼은 나로선 다분히
믿기 어려운 이야기였지만 어찌할 것인가. 믿을 수밖에.
일단, 내가 3시간이나 앉아 있던 커피전문점 옆자리에서 신세대
커플이 나누던 대화를 엿들어 보자.

"날 사랑해?"
여자는 아무렇지도 않다는 듯이 물었다. 세상에서 가장 부끄러운
그 물음을.
"물론이야. 단, 너와 함께하는 시간만."
남자의 단호한 대답이다. 그러자 여자는 신이 나서 떠들기
시작했다. 모처럼 뜻이 맞는 동지를 만났다는 그런 기분으로.
"나도 그래. 나도 너를 볼 때만 너를 사랑해."

요 며칠간 신세대의 모습들을 기웃거려 보면서 내가 줄곧 느낀
것은 황당함과 혼란스러움이었다. 그것이 과연 가능할까, 하는
의문이 불쑥불쑥 내 하드웨어에서 반짝거리고 있었다. 그러나 난
그럴 때마다 어김없이 Delete를 눌렀다. 일단 그들의 이야기를
인정하지 않고선 아무런 대화도 안 되는 것이다. 난 그들의
이야기를 들으러 왔지 참견하러 온 건 아니니까. 그들에게 잘못
보였다간 현애의 남자친구처럼 졸지에 커피세례를 받을지도
모르는 일이니까.

"쉽게 만나고 쉽게 헤어져요. 그리고 헤어진 후에라도 친구로 남길
원해요. 한때나마 내 추억을 장식해 준 사람인데 굳이 등돌리고
원수처럼 지낼 건 없잖아요."

"이별은 요즘 상처가 아니라 자유예요. 얼마든지 더 좋은 상대를
찾아 나설 수 있는. 세상은 넓고 남자는 많잖아요. 그리고 이별의
아픔을 극복할 수 있는 가장 좋은 방법은 역시 다른 상대를 만나는
것이라고 생각해요."

대체로 만나 본 신세대들의 사랑관이다.
이미 기성세대가 되어 버린 나와 신세대라 일컬어지는 그들.
그 시간의 간격은 대체 어느 만큼이나 되는 것이며 무엇으로 메울
수 있을까. 그러나 나는 그네들을 만나 보면서 이것 한 가지는
깨달을 수 있었다. 새장 안에서 부르는 새의 노래는 노래가 아니다.
울부짖음일 뿐이다. 새가 날아가 버릴지라도 새장의 문은 열려
있어야 한다.

그러나 신세대들이여, 사랑은 헌신이라는 것을 알아 주렴.

결국에는 자기의 존재까지 내어 주는 헌신이자 몰입임을.
그대들에겐 다분히 바보스러운 일로 비칠지 모르지만
그 바보스러움에는 자기 희생을 동반하기에 아름답다는 것을. 마치
자신을 버려 온 하늘을 수놓는 저녁해처럼.

카페에서

당신이 저어 주는 커피를 마시며 우리 사랑도 이처럼 따뜻하게
녹을 수 있으면 얼마나 좋을까 생각했습니다. 내일은 주인에게
부탁해 벽난로 위의 저 시계는 떼어 버리도록 해야겠습니다.
어김없이 그 시간만 되면 일어서는 당신. 아아 아무것도 없는,
그대만 있는 곳에서 살고 싶습니다.

오늘은 어쩐 일인지 그대가 오지 않았습니다. 벌써 석 잔째 커피를
마시면서도 나는 집에 갈 생각은커녕, 일어설 생각도 하지
않았습니다. 그대와 함께 있는 양 최면도 걸어 보았지만 끝내
그대는 오지 않았습니다. 이윽고 마칠 시간입니다. 카페의 불이
다 꺼졌어도 나는 일어서지 않았습니다. 이대로 가면 잠자기는 다
틀린 일, 한 자락 어둠으로라도 이 카페에 남아 있고 싶었습니다.
아아 그대가 오지 않아도 좋으니 그대에게 무슨 일이나 없었으면
좋겠습니다.

예감

나는 예감했다. 언젠가
나뭇잎 떨어지듯 그렇게 너 또한
내 곁을 떠나갈 것을. 새순은 언젠가
다시 돋겠지만 한번 떠난 그대는 영영
돌아올 수 없다는 것을.
또 나는 예감했다. 그 예감이
하나도 틀리지 않으리라는 것을.
늘 기대는 빗나가고 우려만 적중되던
내 사랑을.

쓸데없는 생각인 줄 알면서도 자꾸만 그대와 헤어질 것 같은
망상에 사로잡혔습니다. 이런 내 망상들이 씨앗이 되어 실제로
그런 일이 생기게 되면 어떡하나 은근히 불안해지기도 했습니다.
그대여, 그대를 내 안에 잡아 두는 일은 왜 이리 힘드는지요?
사랑이 이런 거라면 애초에 시작도 하지 않았을 것을. 언젠가
가 버리고 말 거라면 내 마음의 문을 열어 주지 않았을 것을.
그러나 그대여, 그런 후회가 일 때마다 나는 생각합니다. 낙엽이
되어 떨어질 걸 뻔히 알면서도 여름날, 그 뜨거운 햇볕을 온몸으로
받아 열매 맺게 하는 나뭇잎, 그 섬세한 잎맥을 떠올립니다. 온갖
수고로움으로 열매 맺게 한 뒤 마침내 땅으로 떨어져 나무를
기름지게 하는 잎새. 그 잎새가 자양분이 되어, 발목을 덮어 주는
담요가 되어 매서운 겨울을 견딜 수 있게 하고, 그리하여 후년에는
새순을 돋아나게 하는 그 헌신을 생각하니 만나고 헤어지는
일에만 매달린 내가 부끄러웠습니다. 사랑을 저울질한
내 이기심의 잣대가 부끄러웠습니다.

네가 좋아하는 영화의 주인공이 되고 싶었다

아는가, 네가 있었기에
평범한 모든 것이 빛나 보였다.

네가 좋아하는 영화의 주인공이 되고 싶었다.
네가 웃을 때 난 너의 미소가 되고 싶었으며
네가 슬플 때 난 너의 눈물이 되고 싶었다.

네가 즐겨 읽는 책의 밑줄이 되고 싶었으며
네가 자주 가는 공원의 나무의자가 되고 싶었다.
네가 보는 모든 시선 속에 난 서 있고 싶었으며
네가 간혹 들르는 카페의 찻잔이 되고 싶었다.
때로 네 가슴 적시는 피아노 소리도 되고 싶었다.

아는가, 떠난 지 오래지만
너의 여운이 아직 내 가슴에 남아 있는 것처럼
나도 너의 가슴 한 귀퉁이를 차지하고 싶었다.
사랑하리라 사랑하리라며
네 가슴에 저무는
한 줄기 황혼이고 싶었다.

갈대는 서로 기대어 사네

해가 떠올랐다. 그러나 그 해의 따스함을 느끼지 못하는 것은
왜일까. 오히려 춥고 떨리기만 한다면? 어디론가 가긴 가야겠는데
어디로 가야할지 모르겠다면?
날이 갈수록 나는 혼란스럽다. 혼란스럽다는 것은 갈피를 못 잡고
있다는 뜻이다. 하기야 요즘 같은 때 흔들리지 않는 것이 어디
있으랴. 나라 전체가 위기라고 떠들썩한데 나같이 심약한 사람이야
흔들리는 게 당연하지. 흔들리고 흔들려서 마음 붙일 데 없는 게
당연하지. 그 때 나는 갈대를 떠올렸네. 자신을 흔들고 있는 것은
다름 아닌 자신의 울음이었다는 갈대….

그래. 내가 흔들리고 있는 것은 바깥에서 불어대는 바람 때문이
아니지 않은가. 바로 나 자신 때문에 흔들리고 있으면서 나는 왜
자꾸 주위만 두리번거리는 걸까. 안에 있는 원인을 밖에서 찾다니.
나는 여태껏 어떻게 살아왔나, 진솔한 반성부터 하는 것이
순서였는데.
그리고 나선 상처를 뛰어넘는 일이다. 상처입었다고 언제까지
그 부위만 움켜쥐고 있을 것인가. 단지 우리에게 고통을 주기 위한

상처가 아니라 우리를 더욱 성숙하게 만들기 위한 상처라고
생각한다면 그 어떤 고통이라도 겸허하게 받아들일 수가 있네.
상처를 전화위복의 계기로 삼아 각고의 노력을 한다면 말이다.
그래. 자신이 겪었던 고통의 크기만큼 생의 진주는 그렇게
반짝이는 것일 게다. 하찮은 모래알이 진주로 바뀌듯이 고통을
겪고 난 뒤에야 조개는 아름다운 진주를 품을 수가 있는 것. 그래,
그런 소망을 가슴 속에 품자. 떠오르는 해처럼 밝은 소망을 가슴
가득 품고 살자. 혹 나보다 더 어려운 동료가 있다면 부둥켜안으며.

불교용어에 연기(緣起)라는 말이 있다. 이는 인연생기(因緣生起)의
줄임말로 갈대의 묶음을 지칭하는 것이다. 갈대 하나는 서기
어렵지만 그 갈대를 여러 개의 다발로 묶으면 쉽사리 설 수 있다는
가르침. 그렇다네. 바람이 세차면 세찰수록 우리는 서로 부여안고

61

살아야 하네. 함께 부둥켜안아야 쓰러지지 않지 따로 서 있다가는
쓰러지기 십상이지.

그래도 힘에 겨워 쓰러지는 동료가 있으면 손을 내밀어 일으켜
세워 주자. 내게 그런 힘이 없노라고 뒷짐만 지고 있지 말고. 그가
쓰러지면 언젠가는 나도 쓰러진다. 마찬가지로 그가 쓰러지지
않아야 나도 쓰러지지 않을 수 있네. 내가 그의 바람막이가 돼
준다는 것은 따지고 보면 그가 나의 바람막이가 돼 준다는 말도
되지 않는가. 서로 부둥켜안아야 외롭지 않고 쓰러지지 않을 수
있다는 사실, 이 단순한 진리를 우리는 그 동안 너무 망각하고
산 것은 아닐까.

다시 한번 생각해 보자. 흔들리는 갈대가 아닌 땅에 뿌리를 박고
있는 갈대를. 세찬 바람이 불어대는 언덕이나 들녘, 세상의
한 모퉁이를 당당하게 차지하고 서 있는 갈대를. 어쩌면 생존하기
위한 환경으로선 가장 척박한 곳에 갈대는 뿌리박고 있지만
아무리 드센 바람이 불어닥친다 해도 결코 쓰러지는 법이 없는
갈대, 서로 기대어 있음으로 해서 공존하는 갈대, 흔들릴수록
더 굳건히 대지에 뿌리를 박는 갈대를.

그런 마음가짐으로 세상을 살자. 그리하여 우리 인생의 해가 질
황혼 무렵, 서쪽 하늘에 아름답게 번지는 노을을 감상하며 그 동안
우린 참으로 열심히 살았었네, 땀을 식혀 보자.

말은 범람하지만 진정한 대화가 없다

오늘 아침 새소리가 무척 요란하다. 마음이 울적할 때 새소리를
들으면 새가 우는 것처럼 들리고, 마음이 기쁠 때 새소리를 들으면
새가 노래하는 것처럼 들린다더니 요즘은 무엇이든지 내 귀에는
요란하게만 들릴 뿐이다. 이 또한 마음이 혼란스러운 탓이겠지.
요즘은 말이 범람한다는 표현이 실감날 정도로 도처에서 무수한
말이 쏟아지고 있다. 쉴 새 없이 울려나오는 라디오와 텔레비전의
무수한 음파들…. 도심에 나설 것도 없이 창문만 열면 들려 오는
자동차 경적소리와 장사꾼들의 마이크 소리. 신문과 책에 빽빽이
박혀 있는 글자들까지 합친다면 그야말로 우리는 소리와 말의
공해 속에 살고 있다고 해도 과언이 아닐 것이다. 이럴 때 석가의
훈계가 적힌 『자경문』의 한 대목을 들쳐보는 것도 의미가 있을
듯싶다.

「말을 적게 하고 행동을 가벼이 말라. 몸을 가벼이 움직이지
않으면 산란한 마음이 가라앉아 선정(禪定)을 이루고 일에 말이
적으면 어리석음을 돌이켜 지혜를 이룰 것이다. 진실한 모습은
말을 떠나 있고 진리는 흔들림이 없다.」

대체로 오늘날의 현대인은 말을 많이 하는 편이다. 만일 우리가

새벽에 눈을 떠 쏟아 놓기 시작한 말들을 그 날 밤에 모두 모아
둔다면 그 양의 많음에 적잖이 놀랄 것이다. 또한 우리가 의식도
하지 못한 채 얼마나 쓸모없는 말들을 많이 늘어 놓았는지 깨닫게
되지 않을까. 사실 우리는 매일 많은 말을 하고 살지만 말을 잘
하기란 매우 어렵다. 누군가 '황금이 있고 산호가 많은들
무엇하랴. 쓸모있고 값진 것은 입술이다' 라고 했다지만 과연
우리의 입술이 황금보다 가치있는지 때때로 점검해 봐야 할
필요가 있을 듯싶다.

물론 꼭 말이 필요해서 하는 경우가 있고, 또한 그런 경우에 말이
없어 답답한 사람도 있다. 하지만 대체로 우리는 필요 이상의 말을
늘어 놓는 경우가 많고, 그러다 보면 말을 들어 줘야 하는 상대는
피곤할 수밖에 없다. 말을 한다는 것은 결국 상대의 동의를
구한다는 뜻인데 그 말이 많아짐으로써 상대의 불신과 반감을
초래할 수도 있는 것이다. 자신의 의사를 관철시키기 위해

이런저런 말을 계속 늘어 놓는다면 대개의 사람들은 그저 건성으로 지나치기 일쑤다. 따라서 이런 경우엔 득보다 실이 많음을 유념해야 할 것이다.

또한 우리 주변엔 말하기 좋아서 말을 쏟아 내는 사람도 있다. 그런 경우엔 마치 수다스러운 동네 아주머니처럼 닥치는 대로 말을 내뱉기 일쑤인데 그럴 때는 지각없는 말들이 마구 튀어나오는 데 문제가 있다. 말의 의미와 그 말이 주는 파장까지도 고려하는 게 상대에 대한 예의임에도 불구하고 그저 말의 유희에 들떠 마구 내뱉는다면 듣는 사람은 불쾌하기 마련인 것이다. 그렇듯 말이 많은 사람의 행동은 또한 십중팔구 가볍기 일쑤다. 그리고 또 무책임하기 쉽다. 말이 앞서다 보니 당연히 실천력이 없게 되어 결국 거짓말쟁이로 전락하고 마는 것이다.

말이란 쓰는 사람에 따라서 칼이 될 수도 있고 황금이 될 수도 있다. 말 한 마디를 잘해 천 냥 빚도 갚을 수 있는가 하면 말 한 마디를 잘못해 걷잡을 수 없는 수렁으로 빠지는 경우도 있다. 또 남에게 희망과 기쁨을 주는 위로의 말이 있는가 하면 남을 가혹하게 찌르고 상처를 입히는 가시 같은 말도 있다. 자신의 편견, 고집, 질투의 노예가 된 말, 또한 위선과 유혹의 말도 우리 주변엔 즐비하게 늘어서 있다.

아무튼 '침묵은 금'이라는 격언이 요즘 같은 자기 PR시대에는 다소 퇴색된 듯싶기도 하지만 '혀는 자신의 몸을 베는 칼'이라는 격언만큼은 우리가 유념해야 하지 않을까. 기실 우리 선조들의 삶

중에는 '이심전심'이라는 지혜롭고도 아름다운 마음의 묘법이 있지 않은가. 홍수처럼 말이 범람하지만 진정한 대화는 찾아 보기 어려운 이 시대, 단순한 겉치레의 말 이전에 마음으로 통하는 그러한 대화야말로 진정 깨끗하고도 정직한 대화가 아닐까.

인어공주가 사람이 되고 싶었던 까닭은?

당신은 『인어공주』라는 동화를 기억하고 있는가. 깊은 바닷속에
있는 아름다운 궁전에서 매일매일을 흥겨운 노래와 춤으로 지내던
인어공주들. 그 인어공주들이 어느 날 우연히 인간들의 세상을
구경하게 된다. 그러나 언니 인어들은 코웃음을 치며 인간들이
사는 세상도 별것이 아니라고 했다.

그렇지만 막내 인어공주는 비록 하루를 산다 하더라도 인간이
되고 싶어했다. 은빛 꼬리와 아름다운 목소리, 그리고 바닷속
궁전의 공주라는 지위까지 버리고 그 막내 인어공주가 사람이
되고 싶었던 까닭이 무엇이었겠는가. 그것은 바로 인간의 세상에서
'사랑'이라는 값지고 아름다운 보석을 발견했기 때문이었다.

어떤가? 당신은 지금 그런 사랑을 간직하고 있다고 생각하는가?
인어공주가 지금의 우리를 보면 과연 사람이 되고 싶어할지 무척
궁금하다.

입구와 출구

그대에게 이를 수 있는 입구가 없네.
그래서 난 언제나 그대 밖에서 서성일밖에.
한번 들어가면 영원히 갇혀 지낸다 해도 그대여,
그대에게 닿을 수 있는 문을 열어 주라.
언제까지나 난 그대 견고한 벽에 기대 서 있네.

그대에게 벗어날 수 있는 출구가 없네.
머물러 있음으로 서로에게 아픔만 준다 할지라도
그대의 성 밖으로 나갈 수 있는 출구가 없는 것을.
그대여, 언제까지나 나는
그대의 담 밑에 웅크리고 앉아 있네.
이렇게 그대를 처다볼 수 있는 것만으로도
나에겐 커다란 위안이기에.

부치지 못한 편지

그대를 기쁘게 해줄 수 있다는 것은 그 이상 내게도 큰
기쁨이었습니다. 설령 그것이 헤어짐을 뜻한다 했어도. 그랬습니다.
그대를 보내고 나서도 내 마음에 걸린 것은 그대를 위해 내가 할
수 있는 일이 아무것도 없었다는 데 있었습니다. 그대의 밝은
웃음을 위해 내가 할 수 있는 일이 고작 그대를 보내는 일이라니.
진정한 우리 사랑을 위해서는 그대로부터 벗어나야 할 필요도
있음을.

이젠 한 발자국 물러서리라 생각했습니다. 그대를 그냥 두어 볼
작정인 것이지요. 세월이 흐르고 흘러 우리의 일이 까맣게
잊혀진다 해도 언젠가는 내 사랑 그대가 알아 주리라 믿어
보겠습니다. 그 때까지 그대여 안녕…. 건강해야 다시 만날 수
있으리. 나 또한 몸져눕지 않고 그대가 찾을 수 있는 가장 가까운
자리에 서 있겠습니다. 훗날 그대가 돌아왔을 때 낯선 기분이 들지
않도록 모든 것을 제자리에 가만히 놓아 두겠습니다. 내 할 수
있는 일은 그것뿐. 그 때까지 그대여 내내 행복하십시오.

3장
내가 당신을 사랑하는 것은

우리가 사랑하는 것은
우리가 사랑할 수 있는 것에 비해
너무나 적다.

내가 당신을 사랑하는 것은
그만큼 맑고 깨끗하게 당신을 바라보기로
마음먹었다는 뜻입니다.

반성

아름답다는 것은 그만큼 맑고 깨끗하다는 뜻입니다. 내가 당신을
사랑하는 것은 그만큼 맑고 깨끗하게 당신을 바라보기로
마음먹었다는 뜻입니다. 혹시 그 눈길에 때가 묻어 있는 것은
아닌지, 소유욕으로 그대를 얼룩지게 하는 것은 아닌지 유심히
한번 살펴봐야겠습니다.

사랑의 비밀

참 이상한 일이었다. 어떤 사람을 사랑하게 되면 그 사람을 한없이
챙겨 주고 싶어지는 것이 아닌가. 이건 그 사람이 잘 먹는
음식인데, 이 옷은 그 사람에게 참 잘 어울릴 텐데, 이건 그 사람이
좋아하는 음악인데…. 아무튼 무엇을 하거나 무엇을 보더라도
나보다 먼저 그 사람이 떠올려지게 되는 것이다.

그렇다. 사랑이란 그런 것이다. 그 사람에게 한없이 마음을
써 주고 싶은 것. 바로 그런 것이 사랑이다. 보답을 바라지 않는
순수한 마음으로 흥정하거나 조건을 내세우지 않는 것. 내가 먼저
아낌없이 베풀 때 사랑은 온다. 그 비밀스런 문을 조심스레 연다.

사랑의 진면목

사랑은 두 개의 얼굴을 가지고 있다. 한 쪽은 희망, 한 쪽은 절망.
그래서 우리는 사랑으로 인해 모든 것을 잃어 버릴 수도 있으며 또
모든 것을 얻을 수도 있다. 한 순간의 지나침으로 끝나는 경우도
있지만 평생을 가는 지순한 사랑도 있다. 유치한 반면 성숙하고
고귀한 면도 사랑은 가지고 있다. 어찌되었건, 자신의 삶 중에
사랑을 간직할 수 있었다는 그 사실만으로 우리는 충분히
행복했다고 생각해야 되지 않을까. '20세기 최고의 로맨스'라고
일컬어지는 다음의 실화는 사랑의 진면목을 여실히 보여 주는
것이다.

영국 황실의 후계자였던 에드워드 공. 그는 1920년대와 30년대에
걸쳐 전세계의 이목을 집중시켰던 역사적 연애사건의 주인공으로
유명하다. 독신으로 살고 있었던 그가 사랑에 빠지게 된 것은 당시
이혼 수속을 밟으며 여행을 하고 있었던 미국 출신의 윌리스
심프슨 부인을 만나게 되면서부터. 그는 그녀와 결혼하고 싶었으나
이혼 경력이 있는 여성과의 결합을 영국 왕실에서 허락할 리는
만무했다. 그는 왕위에 즉위해 에드워드 8세가 되어서도 왕실과

정부의 지도자들에게 그녀와 결혼할 수 있게 끈질기게 요청했지만
그것은 받아들여질 수 없는 사항이었다. 결국 영국 의회는 그에게
왕위를 포기하든지, 아니면 그녀를 단념하든지 두 가지 중 하나를
택일할 것을 요구하게 되었다. 한동안 고심했던 그는 1936년 말,
마침내 국민들 앞에서 왕위를 버리고 사랑을 선택한다는 놀라운
결심을 발표하기에 이른다.

「짐은 사랑하는 여인을 멀리하고서는 본인에게 부여된 임무를
도저히 수행할 수 없음을 깨닫게 되었다. 또한 이런
마음가짐으로는 국왕으로서의 의무도 이행할 자신이 없어 국왕의
자리에서 물러날 것을 만국민 앞에 천명하는 바이다.」

사랑은 이처럼 왕위도 버릴 수 있는 고귀한 것이다. 하기야 우리의
인생에 사랑이 빠져 있다면 그 무엇이 가치로울 것인가. 그랬기에
수많은 영국 국민들은 그들의 결합을 진정으로 축복해 줄 수
있었으며, 그의 결단을 위대하다고까지 추켜세우지 않았던가. 정든
고국을 떠나 낯선 타국으로 망명의 길을 떠나게 되었을지라도
결코 자신의 결정에 후회하지 않았던 에드워드 8세. 사랑을
위해서라면 자신의 모든 것을 아낌없이 버릴 수 있는 그의 헌신이
새삼 부럽다.

선택

한 남자를 사랑하는 두 여자가 있었다. 한 여자는 소문난
미인이었고, 다른 여자는 그저 수수한 보통의 처녀였다. 그래서
그런지 얼굴이 예쁜 그 여자는 남자에게 당당했다. 자신감있게
남자를 대했고 주저함없이 그에게 청혼했다. 그러나 수수한
그 여자는 아무 말 없이 미소만 보일 뿐이었다. 가끔 남자와
마주칠 때에도 조용히 고개를 돌리고 그가 지나가기를 기다렸던
것이다. 그리곤 하염없이 그의 뒷모습을 쳐다보는 것이었다.
어느 날, 세 사람이 함께 자리를 할 우연한 기회가 찾아왔다.
평소에 가까이 지냈던 남자의 어머니가 자신의 생일잔치에
두 사람을 나란히 초대했던 것이다. 거기서 얼굴이 예쁜 여자는
화려한 옷을 입고 연신 손님들과 어울려 자신의 미모를 뽐내기에
바빴다. 그러나 수수한 그 여자는 슬그머니 주방으로 들어가
음식을 나르는 등 바쁜 일손을 도와 주기에 여념이 없었다. 잔치가
끝날 때쯤 남자는 잠시 틈을 내어 쉬고 있는 그녀에게 다가갔다.
물기 묻은 그녀의 손을 잡고 청혼을 하기 위해서였다. 여전히
미모의 그 여자는 손님들과 떠들기에 바빴고 말이다.

참사랑의 모습

내가 어렸을 때 할머니가 돌아가셨다. 할머니는 시골의 어느
공원묘지에 묻혔다. 이듬해 나는 방학을 이용해서 그 근처의
친척집엘 갔다. 우리가 탄 차가 할머니가 잠들어 계시는 묘지
입구를 지나갈 때였다. 할아버지와 나는 뒷좌석에 함께 앉아
있었는데, 할아버지는 우리가 아무도 안 보는 줄 아셨던지 창문에
얼굴을 대시고 우리들 눈에 띄지 않게 가만히 손을 흔드셨다.
그 때 나는 사랑이 어떤 것인지를 처음 깨달았다.

랑의 힘

시골길을 가다 발을 잘못 디뎌 아이가 옆에 있는 깊은 못에
빠졌다. 그러자 그 아이의 아버지가 황급히 못에 뛰어들었는데,
불행히도 그는 헤엄을 칠 줄 몰랐다. 그래도 그는 혼신의 힘을
다해 아이를 붙잡았다. 그러나 그 깊은 물을 빠져나오지 못하고
허우적거릴 뿐이었다. 그걸 본 아이의 어머니도 무작정 물 속에
뛰어들었다. 안타깝게도 그녀 역시 헤엄을 칠 줄 몰랐다. 설사
그녀가 헤엄을 칠 줄 알았다 치더라도 그녀의 힘으로 두 사람을
구해 내기는 역부족이었으리라. 그래서 세 사람은 영영 물 속으로
가라앉아 버렸다. 서로를 꼭 부둥켜안은 채.

나 자신을 위해서는 한없이 약하고 상대를 위해서는 한없이 강한
것, 그것이 바로 사랑이다.

작은 것들에 대한 소홀함

완연한 봄. 도심을 조금이라도 벗어나 보면 금세 봄을 느낄 수
있다. 방 한 구석에 틀어박혀 잠을 자다만 흐리멍덩한 눈으로
텔레비전만 보는 사람이 있다면 참으로 한심한 일이다. 봄은
느끼는 자의 것이다. 가만히 앉아 있는 사람에겐 봄은 건너뛰고 말
뿐 결코 그 사람에게 다가가지 않는다.

세상엔 참 작은 것들이 많다. 봄엔 유독 더 그렇다. 파릇파릇
돋아나는 새싹들, 앙증맞게 솟아나는 꽃봉오리와 물방울들, 그리고
작은 돌멩이와 씨앗. 그렇다. 그런 작은 것들이 모여 봄을, 또한
이 큰 세상을 이루지 않던가. 무릇 모든 큰 일들은 아주 작은
것에서부터 비롯되었음을 봄은 우리에게 일러 주고 있다.

씨앗을 한번 생각해 보자. 과학적으로 따져 보면 작은 탄수화물에
불과할 뿐인 그 씨앗이 나중에는 우람한 나무가 되고, 또
그 나무에서 달디단 열매가 생긴다. 봄은 그렇듯 씨 뿌리는
계절이다. 우리 삶의 풍성한 열매를 위해 아주 작은 것부터 심어
두는 계절이다. 낮잠만 자고 있는 사람에게, 현실이 어렵다고
불평만 하고 있는 사람에게 봄은 영원히 찾아오지 않는다는 것을
깨달아야 할 터.

불멸의 작가 셰익스피어도 처음부터 위대한 작가가 되려고 목표를
세운 사람은 아니었다. 다만 그는 자신의 작품 하나하나를 성의껏
다듬다 보니 결과가 그렇게 된 것뿐이었다. 지극히 작은 일부터
무시하지 않고 시작할 때 그것은 개인의 운명을 뒤바꿔놓고
역사를 변화시킬 수 있다는 것.

1895년 외국의 한 선교사가 대구에서 선교활동을 하다가 자기의
본국을 방문하고 오는 길에 사과씨 하나를 가져와서 자기의 뜰에
심고 정성껏 가꾸었다. 그로부터 4년이라는 세월이 흐른 뒤,
그 나뭇가지에 꽃이 피고 열매가 맺었는데 거기에 맺힌 열매는
아주 달고도 맛있는 사과였다. 그 후 사과씨는 사람들의 손길을
통해 이웃으로 번지기 시작하여 대구 일대로 퍼지게 되었으며,
그리하여 오늘날 사과, 하면 대구가 떠오를 정도로 유명하게
되었던 것이다.
그러니까 대구 사과가 오늘날 이렇게 유명하게 된 것은 이처럼
한 알의 사과씨로부터 비롯된 것이다. 다시금 말하지만 기적이나
큰 일은 아주 작은 일로부터 시작된다. 작은 일을 무시하고는 결코
위대한 일이 성취될 수 없다는 것은 아무리 말해도 부족함이 없다.
다른 예를 한번 들어 보자. 고름을 짜지 않으면 나중에는 치유할
수 없는 큰 상처가 되듯이 우리 주변에는 호미로 능히 막을 수
있는 일을 나중에 가래로 막는 경우가 흔히 있다. 작은 일을
무시할 때 겪게 되는 큰 낭패를 다음 이야기는 시사해 주고 있다.

어떤 사람이 배를 한 척 가지고 있었다. 그는 여름이 되면 그 배로
가족을 태우고 호수로 나가 물고기를 낚거나 하면서 보내는 날이
많았다. 여름이 끝나고 배를 간수하려고 육지에 올렸을 때 그는
배 바닥에 작은 구멍이 뚫려 있는 것을 발견했다. 그러나 그것은
아주 작은 구멍이었기 때문에 내년 여름에 배를 사용할 때
고치리라 생각하곤 배의 색칠만 페인트공에게 부탁했다.
다음해가 되었다. 그는 그 사실을 까맣게 잊어 버리곤 아이들에게
호수에 배를 띄우는 것을 허락했다. 얼마간의 시간이 지난 후,
그에게 순간적으로 예전의 그 기억이 되살아났다. 그는 당황할
수밖에 없었다. 아이들이 헤엄에 능숙하지 못한지라 상상만 해도
끔찍한 일이 눈앞에 어른거리고 있었기 때문이었다.
그가 떨리는 마음으로 황급히 뛰쳐나갔을 때 아, 다행히도

아이들이 무사히 배를 끌고 돌아오는 모습이 보였다. 그는 감격한 마음으로 아이들을 끌어안았다. 그리고 나서 배를 살펴보았는데 그 배에 난 구멍이 누군가에 의해 막아져 있는 것이 아닌가. 그는 페인트공을 생각했다. 나중에 알아 보니 페인트 공이 배에 칠을 하면서 그 구멍을 발견하곤 고쳐 두었던 것이다. 결국 아이들의 목숨을 위태롭게 하고 또 그 애들의 목숨을 건져낼 수 있었던 것은 그 조그마한 일에서 비롯되었던 것이다.

요즘 상황들이 어렵다고 한다. 도처에서 벌어지고 있는 혼란은 결국 우리가 작은 일을 소홀히 지나친 데서부터 비롯된 것이 아닐까. 큰 바위에 구멍이 뚫리는 것도 따지고 보면 작은 낙숫물을 막지 못한 게 원인이듯 지금 우리가 맞고 있는 사회 전반적인 위기상황은 아주 사소한 결함에서 시작되었다고 해도 과언이 아닐 것이다. 최근 IMF를 맞아 심기일전하던 우리의 마음이 조금 흐트러지고 있다고 한다. 그 틈새를 경계해야 한다. 지붕을 성글게 이으면 빗물이 새듯 우리 마음 또한 단단히 다잡고 나서지 않으면 우리에게 찬란한 봄은 영원히 멀어지고 말 것이다.

깨우치는 당신은 행복하다

돈으로 행복을 살 수 있다고 생각한 사람이 있었다. 그러나 그는
곧 환멸을 느껴야 했다. 그가 돈으로 산 것은 행복이 아니라
한때의 쾌락이었기 때문이다. 어떤 사람은 지위로 행복을 차지할
수 있다고 생각했다. 그러나 그는 곧 실망을 느끼고 말았다. 그가
지위로 차지한 것은 한때의 영화에 지나지 않았기 때문이다. 어떤
사람은 또 명예로 행복을 누릴 수 있다고 생각했다. 그러나
그 또한 실패했다. 그가 명예로 누린 것은 행복이 아니라 한때의
허영에 지나지 않았기 때문이다.

'행복'이란 단어를 말로 설명하기는 참 어렵다. 그러나 이 세상의
어느 누구도 '행복하다'는 그 감미롭고 편안한 느낌을 모르는
사람은 없을 것이다. 그런 행복의 느낌을 자신의 것으로 만들기
위해서 사람들은 매진하고 또 매진하는 것이 아니겠는가.
그러나, 하루가 다르게 기술이 발전하여 갈수록 사람들을 편하게
해 주는 현대의 메커니즘 속에서 이런 행복의 느낌을 잃어 버리고
사는 사람들이 점점 늘어가고 있다는 것을 우리는 부인할 수 없다.
그것은 단적으로 인간의 행복이 '생활의 편의'나 '기술의

진보'와는 관계가 없다는 것을 말해 주는 것이다.

그렇다면 무엇 때문에 사람들은 스스로 행복의 의미를 상실해
가고 있는 것인가. 그것은 너무 허황된 것에 기대를 하고 살아가기
때문이 아닐까 생각한다. 이루어질 가능성이 없는 큰 것에 기대를
하여 뻔한 결과에 실망을 하고는 이내 실의에 빠져 버리는 것이다.
그래서 우리의 얼굴은 웃기보다는 찌푸려 있는 때가
더 많은지도 모를 일이다.

철학자 아랑의 「행복론」을 보면 재미있는 비유가 있다. 어린애가
갑자기 까무러칠 듯이 운다. 당연히 아이의 부모가 약을 먹인다,
의사를 부른다 법석을 떨고 있는데 아기의 울음소리를 듣고는
이웃집에서 할머니가 왔다. 그 할머니는 아기를 한번 보자면서
여기저기 살피고는 작은 바늘이 하나 옷에 꽂혀 있는 것을
발견했다. 그 바늘을 빼내자 죽을 듯이 울던 아이가 울음을 뚝
그치고는 방글방글 웃기 시작했다는 이야기.
이렇듯 행복이란 언제나 조그만 데서부터 비롯되는 것이다. 마음을
평온하게 하고 잔잔한 열락을 가져다 주는 행복, 그러한 행복은
결코 크고 위대한 데서만 오는 것은 아닐 것이다. 외려 작고도
성실한 데서 더 많이 느낄 수 있는 것은 아닐는지. 다만, 그것을
느끼고자 하는 마음의 문을 얼마나 열어 놓았느냐 하는 것이
문제일 것이다.
앙드레 지드가 쓴 소설 중에 「전원교향악」이라는 작품이 있다.
비록 불구의 몸일지라도 깨우치는 사람은 행복할 수 있다는 것을
여실히 보여 주는 그 작품을 간추려서 옮겨 놓으면 다음과 같다.

어떤 날 밤, 나는 소경인 수양딸 젤트류드를 음악회에 데리고 갔다.
곡목은 마침 '전원교향악' 이었다. 내가 '마침' 이란 표현을 쓴
것은 그것 이상 그녀에게 들려 주고 싶은 곡이 없었기 때문이었다.
연주회가 끝나고, 우리가 극장을 나선 이후에도 그녀는 마치
황홀경에 침잠해 있는 것처럼 상기되어 있었다. 그러다 그녀는
궁금한 듯이 물어왔다.

"세상은 정말 그래요?"

"무얼 말이니?"

"음악에 나오는 저 실개천가의 경치…, 정말 그것처럼 아름답고
황홀하나요?"

그러나 나는 곧 대답할 수가 없었다. 그 음악은, 있는 그대로의
세계를 그린 것이 아니라 인간의 세상에서 죄악이 사라지면
그러할 것이라는 상상 속에서 만들어진 곡이었기 때문이었다.
더욱이 그 때까지 그녀는 죄나 악에 대해서는 자세히 모르고
있었다. 그래서 나는 한탄하듯이 말했다.

"아쉽게도, 눈 뜬 자는 보는 행복이 뭔지 잊고 있어."

그러자 그녀의 조용한 목소리가 들려왔다.

"그러나 앞 못 보는 나는 듣는 행복을 알고 있는걸요."

그렇다. 따스한 햇살이 우리를 감싸고 향긋한 꽃내음이 우리의
코를 간질여도 우리는 행복을 느끼지 못하고 넘어가는 때가 많다.
퇴근 길, 서쪽 하늘에 일몰이 아름답게 수를 놓아도 우리는 그것을
스치고 지나가는 때가 대부분이다. 조금만 눈을 돌리고 조금만
주변에 관심을 가져도 우리를 행복의 길로 이끌 수 있는 것들이
도처에 깔려 있는데도 불구하고 우리는 쉽사리 마음의 문을 열지
않는 것이다.

대신, 괜한 일로 화를 내고 남을 헐뜯고 비방하는 일에 매달리는
경우가 허다하다. 어떻게 하면 남을 앞설 수 있을까 골몰하다가
보니 미처 주변을 둘러볼 여유도 없거니와 남을 위해 돌멩이 하나

치우는 아량도 베풀 줄 모른다. 하루가 다르게 급변하는 세상에
적응하자면 어쩔 수 없다는 변명을 해 본다만 그것은 말 그대로
변명에 불과하다. 문을 꽁꽁 닫아 두고 있는데 누가 찾아올 리는
만무하지 않겠는가.

행복하길 바란다면 먼저 자신부터 달라져야 한다. 손님을
맞이하자면 우선 방부터 치워 두고 초대하는 것이 옳은 순서가
아니겠는가. 욕심과 교만, 질투와 시기심 같은 찌꺼기들을 말끔히
쓸어낸 다음 관심과 사랑이라는 벽지로 마음의 방을 정갈하게
꾸며 놓아야 비로소 행복은 찾아올 것이다.
매사를 사랑으로 감싸는 마음, 상대방의 잘못도 너그럽게 용서할
수 있는 관용, 주변의 풍경 하나도 놓치지 않으려 애쓰며
가능하다면 그것들과 함께 호흡할 수 있는 애정과 관심, 그런
것들이 자신의 마음자리에 쌓여갈 때 우리는 참으로 평화롭고도
보람된 나날들을 보낼 수 있으리라 확신한다.
봄이 어디쯤 가고 있는가? 지금 어떤 꽃이 지고 있는가? 그것을
느낀다면 이미 당신은 행복하다.

욕망이라는 이름의 쓰레기통

가을이 시작되기 전에 왜 꼭 찬바람부터 불어대는지 당신은
아는가? 남아 있는 이파리들을 모조리 거두려는 자연의 뜻이
아닐는지. 미련이 남아 채 떨어지지 못하고 자리를 지키고 있는
나뭇잎들에게 신(神)은 드센 바람을 통해 준엄한 경고를 보내는
것이다.

올 겨울의 초입에는 더더욱 그 바람이 거세게 불어줄 것을
기대한다. 끝끝내 자기 자리만을 고수하려는 탐욕스런 사람들에게.
자신의 욕망을 위해서 수단과 방법을 가리지 않는 사람이 있다면
바로 그 사람들에게.

어쨌거나 곧 겨울은 시작되리라. 그러면 우리는 우리대로 또
어깨를 웅크리고 시린 손에다 입김을 호호 불리라. 이렇듯 계절은
한 치의 착오나 오차가 없다. 할 일이 다 끝났다 싶으면 다음
계절에 자리를 내 주고 자신은 미련없이 물러앉는 것이다. 자리에
연연하는, 더 나은 후진이 있음에도 불구하고 자기가 최고인 양
혹은 최선인 양 머물러 앉아 끝내 추태를 부리고 마는 우리
인간으로선 감히 흉내낼 수 없는 경지.

가히 우리 인간들의 욕망이란 끝이 없다 해야 옳다. 백 년도 못

사는 것들이 천년 만년 살 것인 양 끌어모으고 차지하는 데 여념이
없다. 하기야 '중생이 생사에 윤회함은 탐욕에 애착하고 있기
때문이다' 라는 석가모니의 고언도 있듯 인간에게 있어서 욕망이란
지극히 자연스런 본능인지도 모른다. 또 경우에 따라 그 욕망으로
인해 그 사람의 삶이 더 윤택해지는 것도 사실이다.

그러나 대개의 사람들은 지금 상태로 충분한데도 더 많은 것을
가지려 하고, 더 높은 곳에 오르려 한다. 욕망의 수렁이란 밑도
끝도 없는 것이라서 한번 빠지면 헤어나오기가 그다지 쉽지 않다.
가지고 싶은 자동차를 가졌다면 그만인데 이번에는 더 넓은 차,
더 좋은 차를 원하는 게 인간의 치졸하고도 유치한 심사가
아니던가.

자신의 노력으로 실현 가능한 욕망을 가진다면 누가 탓할 것인가.
그것으로 인해 그 사람의 삶이 그만큼 더 윤택해졌다면 감히 누가
시비할 것인가. 문제는, 터무니없는 욕심을 의외로 많은 사람들이
부리고 있고, 그 욕심을 실현하기 위해 잘못된 수단과 방법을
아무렇지도 않게 동원한다는 데 있다. 생각해 보라. 욕심이라고
하는 것은 대개 자신의 그릇보다는 넘쳐나기 일쑤다. 그러자니
무리가 따르지 않을 수 없고, 대개 '편법' 이란 적법하지 못한
수단이 강구되고 마는 것을.

거기서 문제는 더 커지게 마련이다. 흔히들 말하는 편법이란
궁극적으로 자신에게는 물론 타인에게도 그 해악이 미치기
때문이다. 지갑을 주우면 반드시 그걸 잃어 버린 사람이 있듯 내가
많이 차지하면 할수록 그걸 손해보는 사람도 있게 마련이다.

고대 그리스의 철학자 디오게네스는 가난하지만 부끄럼없이 사는
것이 최고의 선임을 깨닫고 일생을 그렇게 살려고 노력했다.
하루는 그에게 돈 많은 장사치가 찾아와 자신의 집으로 초대했다.
장사치의 집은 으리으리하기 짝이 없었다. 기둥이며 바닥이 모두
대리석으로 깔려 있었으며 집 안의 가구들은 모두가 금으로 된
장식품들이어서 눈을 뜨고 있기에도 어지러울 지경이었다.
장사치는 이런 자신의 집을 디오게네스에게 자랑하느라 여념이
없었다. 마치 제 집을 자랑하기 위해 그를 초대한 것인 양 입에
침을 튀기면서 연신 떠들어대고 있었다.
가만히 듣고 있던 디오게네스는 입을 우물거렸다. 그리고는 갑자기
장사치의 얼굴에다 침을 탁 뱉는 것이 아닌가. 놀라서 쳐다보는
장사치에게 내뱉는 그의 말이 또한 걸작이었다.
"이해하게. 이렇듯 아름답고 훌륭한 자네 집에서 내가 침을 뱉을
곳은 자네 얼굴밖에 없었으니까. 자네 얼굴이 바로 '욕심과
거들먹' 이라는 쓰레기통이 아닌가."

오늘날 만일 디오게네스가 살아온다면 침을 뱉을 곳이 어디
그 장사치의 얼굴뿐이겠는가. 지금 자신의 낯이 간지러워온다면
한번 되짚어 보자. 지금 내가 하는 일이 양심에 비추어 한 점
부끄럼이 없는 일인가, 아니면 욕심이 부추겨서 하는 일인가를.
사람들은 누구나가 행복을 찾기 위해 자신의 모든 것을 투자한다.
인생의 궁극적인 목표는 뭐니뭐니해도 '행복한 삶' 에 있기
때문이다. 그러나 남이 봤을 때 '저 사람 정도면…' 하는 사람도

만족하지 못하고 욕심을 부리는 경우가 많다. 이미 충분한 돈이
있음에도 불구하고 어떤 사람은 더 많은 돈을 위해 근심을
불러들인다. 이미 충분한 명성과 권력이 손 안에 있는데도 어떤
사람은 더 많은 그것들을 위해 한시도 마음을 놓지 못한다.
이렇듯 욕심은 마음의 평화를 깨뜨리는 가장 큰 원인이다. 가난한
사람 두 명은 돗자리 하나에서도 편하게 잠들 수 있지만 아무리
넓은 제국도 두 군주에게는 좁을 수밖에.

인간에겐 누구에게나 '주어진 것'과 '주어지지 않은 것'이 있다.
만약 '주어지지 않은 것' 쪽에 마음이 쏠리는 사람이 있다면
그 사람은 불평과 부러움에 사로잡혀 '주어진 것'에 대한 감사는
소홀해지고 말 것이다. 그렇다면 그 사람은 불행해질 수밖에 없다.
참으로 엄청난 것이 자신에게 주어진 것도 모르고서 말이다.
그리하여 삶은 내게 일러 주었다. 나에게 없는 것을
욕심내기보다는 내가 갖고 있는 것을 소중히 하고 그것에
감사하기를. '만족하며 사는 삶', 그것이야말로 행복에 이르는
지름길이라는 것을. 그 길은 어디 멀리 있지 않다. 그 길을 걷자.

나뭇잎 하나

사람의 가슴 속에는 누구든지 사랑이란 나뭇잎 하나를 키우고 있지요. 그리하여 그들은 늘 자신의 가슴을 촉촉하게 적셔 주지 않으면 안 되었습니다. 메마른 가슴 속에선 그 나뭇잎이 푸르게 자라지 않기 때문입니다.

자신을 사랑하는 만큼 남을 사랑할 수 있다

누군가를 사랑하자면 무엇보다도 먼저 자신부터 사랑하는 법을
배워야 한다. 자신에게 없는 것을 남에게 줄 수는 없다. 먼저
자신의 내부에 사랑을 그득히 채워 놓고 나서야 비로소 남을
사랑할 수 있다. 그래야 그 사랑이 올바를 수 있다. 신은 사랑에
관한 한 가지 법칙을 인간에게 내렸는데 그것은 자신을 사랑하고
수용할 수 있는 만큼만 다른 사람을 사랑할 수 있게 한 것이다.
그래서 '비키 킹'이란 사람도 다음과 같은 말을 남긴 것이 아닌지.

좋아하는 사람이 생기기 전에 먼저 자기 자신과 사랑에 빠져 보라.
좋아하는 사람과 함께 하고 싶은 일들을 먼저 자신과 함께 해
보라. 근사한 음악을 골라 줄 사람이 필요하면 스스로 안내책을
읽고 음악을 골라 보라. 혼자 영화를 보고 자신과 함께 즐겨라.
자신에게 도취되라. 자기 자신과 사랑에 빠질 수 없다면, 다른
누구와 함께 있어도 즐거움을 느낄 수 없고, 깊은 사랑에 빠질 수
없다.

단 하나의 행복

사랑이 우리에게 괴로움을 가져다 주는 것은 우리 스스로가
사랑을 괴로워하기 때문이다. 고뇌가 우리를 따라다니며 떨어지지
않는 것은 우리가 그것으로부터 도망치려고 하기 때문이다. 우리가
괴로워하는 모든 원인은 바로 우리에게 있다. 사랑에 대한 모든
장애물은 남이 만드는 것이 아니라 나 스스로가 만들고 있다는
것을 인정하자. 그리하여 사랑이 우리를 괴롭게 한다면 거역하지
말고 당당하게 맞설 일이다. 그래서 그것이 얼마나 감미로운지도
맛볼 일이다. 사랑할 대상이 없어 덤덤한 것보다는 차라리
고통스럽더라도 그리워할 누군가가 있는 것이 우리 인생을 더
윤택하게 하지 않겠는가.
세상에 존재하고 있는 단 하나의 행복, 그 이름이 바로 사랑이다.

하루살이 사랑

하루살이 사랑은 되지 말자. 애초에 그러려면 만나질 말자.
사랑이란 이름 아래 모든 게 감싸진다고 생각하지 말자. 너는 너,
나는 나대로의 길을 열심히 가면서 서로를 사랑하자. 때로
그리워하면서 살기도 하자.

하루에 이루어진 도자기는 값이 싸지만, 오래 기다려 이루어진
보석은 값이 비싼 법. 가슴이 찢겨져 온통 누더기가 되더라도
차분히 기다려 보석처럼 영롱한 사랑을 만들자. 하루살이 사랑은
되지 말자. 애초에 그러려면 만나질 말자.

가슴에 새겨져 있는 글

원래 기억력이 좋지 않은 편이지만 요즘은 더 그렇다. 아주 오래 전에 읽은 다음의 글이 아직도 생각나는 건 머리가 아닌 가슴에 박혀 있어서 그러하리라.

「우리가 생각하고 있는 것은 우리가 알고 있는 것에 비해 너무나 적다. 우리가 알고 있는 것은 우리가 사랑하는 것에 비해 너무나 적다. 우리가 사랑하는 것은 우리가 사랑할 수 있는 것에 비해 너무나 적다. 그래서 지금 우리의 모습은 본래 우리의 모습보다 훨씬 적다.」

4장
네 가슴에 저무는 한 줄기 황혼으로

내 모든 것을 주어도
하나도 아깝지 않은 것이었지만
사실은 하나도 주지 못한 것 같아
그게 더 안타까웠네.

너의 여운이 아직 내 가슴에 남아 있는 것처럼
나도 너의 가슴 한 귀퉁이를 차지하고 싶었다.

소유

더 이상 그대에게 줄 것이 없네.
세상 모든 것이 나의 소유가 된다 해도
결코 그대 하나 가진 것만 못한데.
내 모든 것 그대에게 주었으므로
더 이상 줄 것이 없네.
주면 줄수록 더욱 넉넉해지는
이 그리움밖에는.

내 모든 것을 주어도
하나도 아깝지 않은 것이었지만
사실은 하나도 주지 못한 것 같아
그게 더 안타까웠네.

아아, 내게 남은 건 없네.
영화가 끝나고 텅 빈 극장 관람석처럼.

나만 괴로운 것이 아니다

사랑으로 인해 괴로운 사람이여, 나만 괴로운 것이 아니라는 것을
깨닫기를. 내색하지 않아서 그렇지 그도 마찬가지다. 어쩌면 그는
나보다 더한 고통을 참고 있는지도 모른다. 자기만 괴롭다고, 왜
자기에게만 이런 고통을 내리느냐고 하늘을 원망하지 말 것.

원래 사람에게 배당된 고통의 양은 눈곱만치도 차이가 나는 게
아니다. 다만 받아들이는 쪽의 자세에 따라 차이가 날 뿐.
괴로움이란 일정한 무게가 있는 것이 아니라서, 받아들이는 쪽의
자세에 따라 가벼울 수도 무거울 수도 있다. 괴로워하는 모습을
가능하면 그에게 보이지 말자. 그것으로 인해 그는 더 괴로울 수도
있으니.

주면 줄수록 더 넉넉히 고여오는

그에게 더 이상 줄 것이 없노라고 말하지 말라. 사랑은 주면
줄수록 더욱 넉넉히 고여오는 샘물 같은 것이다. 당신은 어느 때
그가 가장 사랑스러운가? 모든 게 순조로워 서로간에 화평한
웃음이 감돌 때?
아니다. 그런 때는 결코 아닐 것이다. 하던 일이 실패해 세상이
무너질 것 같은 절망감으로 깊은 한숨을 내쉴 때, 모든
사람으로부터 외면당해 어느 한 구석에 혼자 외로이 웅크리고
있을 때, 그런 때야말로 사랑이 필요하다. 그런 때야말로 사랑의
힘이 진정으로 발휘되어야 할 때다. 그를 진실로 사랑한다면 기쁠
때나 즐거울 때보다 힘겹고 슬플 때 그의 곁에 있어 줘라. 그에게
더 이상 줄 것이 없노라고 말하지 말고 그를 위해 마지막 남은
눈물까지 흘려 줘라. 그러면 그는 세상 모든 걸 잃는다 해도 결코
주저앉지 않을 것이다. 실의에 빠진 사람을 다시금 일어설 수 있게
하는 것, 그것이 바로 사랑이다.

사랑은 주는 사람의 것

그렇다. 사랑은 뭐니뭐니해도 무엇을 받으려고 기대하는 것이
아니라 무엇이든 주려고 생각하는 것이다. 시냇물이 바다에게
자신의 온 몸을 내던지듯 자신의 존재마저 주는 것이 사랑의
본질이다. 그런데 거기에 대가를 바라는 사람이 있다. 물론
줌으로써 받을 수 있는 대가는 다양하지만 결코 답례를 바라서는
안 된다. 내가 무엇을 주었기 때문에 대가가 있어야 한다는 것은
'사랑' 이 아니라 '계산' 이므로. 생각해 보라. 자기 자신이 주지
않고는 못 견뎌서 주어 놓고 대가를 바란다는 것은 사랑을
강매하는 행위와 다를 바가 없지 않은가. 내가 너를 사랑해서
무엇인가를 베풀 때 무엇이 돌아올까를 염두에 두지 마라. 사랑은
장사가 아니다. 그러니 내가 준 만큼 되돌려받지 못했더라도
실망하지 마라. '손해' 라는 생각은 더더욱 갖지 말라. 사랑은 받는
사람의 것이 아니라 주는 사람의 것이므로.

절대적인 사랑

오시리스는 건강하고 용기있는 이집트의 왕자였다. 그는 부왕의
뒤를 이어 왕위에 오른 다음 여러 가지 선정으로 백성들의 생활을
보살폈다. 그러나 그는 불행하게도 그의 명성과 권력을 질투하는
동생, 사막의 왕 세도에 의해 무참히 살해되고 말았다.
소식을 들은 그의 아내 이시스는 비탄한 나머지 그 자리에서
머리칼을 자르고 울부짖다가 마침내는 나일강에 던져진 남편의
시체를 찾으러 길을 떠나게 된다. 천신만고 끝에 남편의 관을
찾아낸 이시스. 그러나 이를 알게 된 세도는 다시 오시리스의
시체를 열네 조각으로 토막내 각지에다 뿌려 버렸다.
그래도 이시스는 절망하지 않았다. 다시금 길을 떠나 남편의
잔해들을 찾아 내었고, 찢어진 조각들을 하나하나 맞추어
제 모양을 갖추게 했다. 결국, 이시스의 지극한 사랑으로 죽었던
오시리스가 다시 생명까지 얻게 된다는 이집트의 신화. 비록 전설
같은 줄거리긴 해도 사랑의 힘은 그토록 위대하다. 죽음까지도
뛰어넘을 수 있는 한 여성의 절대적인 사랑. 쉽게 사랑하고 쉽게
이별하는 데 익숙해진 우리로선 감히 상상도 못할 경지.

상처

사랑은 영혼을 앓는 이들의 몫이다. 잠자리에서 일어나 먹고사는
것만을 생각하는 사람들에겐 사랑은 머나먼 이웃일 수밖에 없다.
평행선을 달리는 철로처럼 그 둘은 좀처럼 만날 수가 없는 것이다.
그 사람들은 매일같이 되풀이되는 '생활'만을 만날 뿐 사랑은
쳐다보지도 않는다. 그들의 가슴 속엔 그리움이란 바람은 불지
않는다. 대신 혼자만의 옷깃을 꼭꼭 여민 고독의 깊은 그늘만
자리한다.

사랑이 반드시 환희만을 가져오지 않는다는 사실에 두려워할
필요는 없다. 사랑이란 어쩌면 우리를 행복하게 하기 위해서 있는
것이 아니라 고통과 좌절에서 얼마만큼 견딜 수 있는가를 보이기
위해 있는 것인지도 모르기에. 사랑함으로 피와 살은 마를지라도
그 사람의 정신은 맑아지고 살쪄간다는 것을. 그렇다. 슬픔과
고통이 없이는 우리의 정신은 결코 맑아지지 않는다. 지금, 당신의
인생에서 가장 소중했던 이들의 얼굴을 가만히 떠올려 보라.
그리움이 싸하게 솟아오르면 사랑은 정말 영혼을 앓는 이들의
몫이라는 걸 실감할 수 있을 것이다.

고통도 지나고 나면 달콤한 것

'풀잎'이란 시로 유명한 시인 휘트먼은 이렇게 말했다.
"추위에 떤 사람일수록 태양의 따스함을 느낀다. 인생의 고뇌를
겪은 사람일수록 생명의 존귀함을 안다."
그렇다. 비록 지금은 우리가 힘든 시기를 보내고 있지만 이 고비를
잘 넘기고 나면 우리에게 한때 그런 때가 있었지 하고 미소지을
때가 있으리라 믿는다. 어둠이 가시면 새날이 밝아오듯이 그렇게
새 희망은 다가오리라. 독일의 대문호인 괴테도 말했듯이 고통도
지나고 나면 달콤한 것이리라.
정말 그렇다. 우리 인생에 있어서 행복이란 어쩌면 그 깊었던
고통만큼 찾아오는 게 아닐까. 쓴맛을 깊이 경험하지 않고선
단맛을 알 수 없는 법이다. 우리 인생은 늘 상처투성이라고 헵벨은
이야기했다만, 그것은 인생의 비애를 말하기 위한 것이라기보다는
살아가기 위해서는 늘 역경과 싸우는 것이 우리 인생이며, 바로
그 역경과 싸워나가는 과정에서 상처도 입는다는 뜻일 것이다.

생각해 보면, 우리의 삶에는 하루도 고통의 흔적 없는 날이 없는
것 같다. 하루하루가 고통의 연속이며 상처투성이다. 그러나

이 때문에 굳이 절망할 필요는 없으리. 비 온 뒤에 땅이 더욱 굳어지듯 고통도 지나고 나면 달콤한 것이기 때문이다. 어제 있었던 그 고통스러운 자국들을 가만히 되씹어 보라.

하기야, 우리 인생에서 한 번의 실패는 그리 대단한 게 아닐지도 모를 일이다. 그 실패에서 어떻게 딛고 일어서는가가 사실은 중요한 것이 아니겠는가. 산의 정상을 올라가자면 미끄러질 때도 있다. 때로는 발을 헛디며 상처입을 때도 있다. 그러나 그런 사람일수록 다시 발걸음을 내딛을 때는 더욱 조심스럽고 또 힘찬

법이다. 그리고 그렇게 오른 정상일수록 눈앞에 펼쳐진 광경들이
마음을 뿌듯하게 만들어 줄 것이다. 따라서 우린, 고난이나 실패도
우리 삶의 한 부분이라는 마음을 가지고 우리 인생을 스케치해
나가지 않으면 안 된다. 지우개 없이 단 한 번으로 완벽하게
스케치를 할 수 없는 것처럼 한 번의 실패도 없는 인생이란
생각하기 어려운 것이 아닌가.

"먹을 빵조각만 있으면 어떤 고통도 견뎌 낼 수 있다."
세르반테스의 『돈키호테』에 나오는 말처럼 우리에겐 그 고통을
이겨 나갈 힘이 있다. 다가오는 고통을 막을 힘은 없지만 이겨
나갈 힘은 충분히 있는 것이다. 아무리 극단적인 고통도 그것을
이겨 내려는 의지만 있으면 그것은 오래 가지 않는다. 옛날의
성현들은 자신의 삶을 풍요롭게 하기 위해서 일부러 고행도
마다하지 않았다고 하는데 오늘의 이 어려움은 그 동안 자만과
사치심으로 가득했던 우리에게 일대 경종을 울려 주는 사건으로
기억하자. 그리고 더욱 분발하면 된다. 하기야 그러지 않으면
어쩌겠는가. 홀홀 털고 새로이 시작하지 않으면 어쩌겠는가.

후회하느라고 세월을 보내지 말자는 뜻이다. 뒤를 돌아다보며 걷는
사람은 하수구에 빠지기 십상이다. 아테네의 장군이었던
이피크라테스는 유명한 선조들이 많은 가문의 후손인
하모디우스로부터 구두쟁이의 아들이라는 이유로 비난을 당했다.
그 때, 그는 딱 잘라 말했다.

"나의 가문은 나로부터 시작된다. 그러나 당신 가문은 당신이
끝이다."

어떤 경우에도 과거에 집착하는 것은 좋지 않다는 뜻이다.

그리하여 새날에는 희망을 품자. 아무리 고단하더라도 그 희망을
생각하며 새로운 각오를 다지자. 눈이 멀고 귀가 먹고 말을 못하는
고난 속에서도 헬렌켈러 여사는 이런 말을 했다.

"희망은 사람을 성공으로 이끄는 신앙이다. 희망이 없다면
아무것도 성공하지 못한다."

인간으로서의 극한의 불행에 처해 있던 그녀가 재생의 길을 밝힌
것 역시 희망이 아니겠는가. 바로 눈앞의 일보다는 먼 훗날의 일을
생각해서 꿈을 심었기에 그녀는 선망의 인물로 뭇 사람들에게
존경을 받고 있는 것이 아니겠는가.

우리가 처한 환경이 아무리 어둡더라도 어디엔가 분명히 불씨는
남아 있으리라. 암흑 속에서 희망을 마음의 등불로 삼아 큰 고난과
싸워 이긴 헬렌켈러처럼 우리가 그 불씨만 꺼트리지 않는다면
우린 곧 다시 찬란한 불꽃을 피워 낼 수 있으리라. 그렇다. 지금
우리 형편이 조금 안 좋다고 해서 낙담할 필요는 없다. 우리가
지난 일에 대해 부끄러움을 느끼는 것은 이미 각성을 했다는
뜻이다. 우리 가슴 속에 저마다 담고 있는 불씨를 피워낼 각오를
새롭게 다졌다는 뜻이다.

그래. 어둠을 뚫고 찬연히 떠오르는 저 태양처럼 우리도 그렇게
조용히 다시 일어서자.

주는 만큼 늘어나는 행복

어떤 사람이 자전거를 열심히 닦고 있었다. 그 곁에선 아까부터
호기심어린 눈으로 구경하는 소년이 있었다. 금세 윤이 번쩍번쩍
나는 자전거가 몹시 부러운 듯 소년은 물었다.
"아저씨, 이 자전거 꽤 비싸게 주고 사셨지요?"
"아니야, 내가 산 게 아니란다. 형님이 주셨어."
"그래요? 나도…"
소년의 부러움 섞인 대꾸는 그 사람의 미소를 절로 자아내게 했다.
나도 그런 형이 있다면 얼마나 좋을까, 분명 그런 생각을 소년은
가졌을 것이고, 그런 형을 가진 자신은 정말 행복하다고 생각했다.
그런데 그는 곧 다시 소년을 쳐다보아야 했다. 소년의 다음 말은
자신의 짐작과는 전혀 딴판이었기 때문이었다.
"나도 그런 형이 되었으면 좋겠네요. 우리 집엔 심장이 약한 내
동생이 있는데, 그 애는 조금만 뛰어도 숨을 헐떡이거든요. 나도
내 동생에게 이런 멋진 자전거를 주고 싶어요."

주는 것과 받는 것.
대부분, 받지 못해 안절부절못하는 경우는 있어도 주지 못해

안타까워하는 경우는 잘 없으리라. 남의 것은 받지 못해
안달하면서도 내 것은 손톱만치도 주지 않으려는 요즘의 세태에
소년의 그 같은 마음씀은 정말 가슴 뭉클하도록 아름다운
것이었다.

날씨가 추운 계절. 가을은 어느 새 저만큼 가 버리고 마침내 추운
겨울이 닥쳤다. 이런 날일수록 서로 따스한 가슴들을 나눠 가져야
하는데 외려 상대에게서 찬바람만 인다면 우리네 삶은 고달플
수밖에 없다. 대개 겨울은 '왔다' 라는 표현보다 '닥쳤다' 라는
표현을 쓴다. 그것은 겨울 한 철을 나기가 다른 어느 계절보다
어려운 까닭이다.

있는 사람보다는 없는 사람에게 더욱 혹독한 계절인 겨울.
그 초입에 서서 나는 생각해 본다. 거창한 구호나 커다란
대의명분도 좋지만 진정 우리가 보살펴야 할 가난한 이웃들에게는
얼마나 관심을 가지고 있는지. 말로만 '온정' 을 떠들었지 그들을
진정 따스한 마음으로 감싸 준 적은 있는지.

눈이 멀어 밖으로 잘 나가지 못하는 할아버지 한 분이 있었다.
달리 말동무를 해줄 상대가 없는 그에게 유일한 친구는 바로
라디오였다. 라디오를 듣는 순간만큼은 세상의 많은 이야기와
아름다운 노랫소리를 들을 수 있었으므로. 그런데 언제부턴가
라디오에서 잡음이 무척 심하게 들리는 것이 아닌가. 오래된 탓에
고칠 수도 없었고, 가난한 자신의 형편상 새 라디오를 구입할 수도
없었던 그는 그저 라디오에 더욱 귀를 기울일 수밖에. 그러던 차에

다행스럽게도 이웃의 한 사람이 그의 딱한 사정을 전해듣고는
새 라디오를 선물해 주었다. 잡음없는 깨끗한 음질의 방송을 들을
수 있게 된 할아버지의 기쁨은 당연히 아주 큰 것이었다.
그런 어느 날, 연말이 가까운 때였다. 어려운 이웃을 돕기 위해
구호품을 모집한다는 라디오 방송을 들은 할아버지는 곰곰이
생각에 잠겼다. 자신도 그들을 위해서 무엇인가 할 일이 없는가
찾아보기 위해서였다. 고민한 끝에 그는 곧 보자기를 꺼내
새 라디오를 고이 싸기 시작했다. 자신보다 못한 사람을 위해
그것을 구호품으로 내놓으려는 결심을 한 것이다. 그리고는 한쪽
구석에 치워 두었던 헌 라디오를 다시금 꺼냈다. 먼지를 털고
스위치를 켰을 때 라디오에선 예전보다 더 심해진 듯한 방송이
흘러나왔다. 그러나 방송을 듣는 할아버지의 얼굴은 밝았다.
자신도 누군가에게 줄 수 있다는 행복감이 충만해 있었으니까.

주는 행복감. 그것은 아이러니컬하게도 있는 사람보다 오히려 없는
사람이 더 자주 경험하는 듯하다. '과부가 홀아비 심정 잘 안다'는
식의 동정으로 생각한다면 그건 큰 오산이다. 거기엔 계산이 깔려
있는 것도, 생색을 내자는 것도, 아니면 무언가 다른 쪽에서
실속을 차리려는 의도적인 행위가 아니기 때문에. 그저 그네들은,
자신도 어렵지만 자신보다 더 어려운 이들이 있으면 자연스레
도와 줄 뿐이다. 말하자면 어려움을 서로 나눠 가진다고나 할까.
'자기를 행복하다고 생각할 수 있는 사람이 행복한 사람이다'라는
괴테의 말은, 주어지는 것이 아니라 자기 스스로가 찾아서 느끼는

게 바로 행복이란 뜻을 내포하고 있다. 그런데도 사람들은
끊임없이 밖을 향해 두리번거리고 있다. 밖에 있는 것을 찾는 것이
아니고 안에서 만들어 내는 힘이 행복인데 말이다. 결국 행복이란
것은 줌으로써 비워지는 것이 아니라 나누어 가짐으로써 채워지는
것이 아닐까. 베푸는 만큼 행복의 양도 그만큼 많아질 것이고.
그러나 가진 것이 충분한데도 더 많은 것을 가지기 위해 안달하는
사람도 우리 주변에는 적지 않다. 곳간 가득 곡식이 쌓여 썩은
냄새가 진동을 하는데도 남에게는 내놓지 않으려는 족속들.
자신에게 아무짝에도 쓸모없는 것일지라도 무조건 쌓아 두려 하고,
베풀지 않으려는 그 욕망의 화신들은 행복의 진정한 맛을 알까.
자기 동생에게조차 베풀지 않고 욕심을 부렸던 놀부는 급기야는
파산을 당하는 재난 속에 처해진다. 너무 욕심을 부리면 결국엔
하늘이 심판을 내린다는 그 이야기를 모르는 사람이 없는데도
자꾸만 욕심을 부리는 사람들. 그네들은 도대체 어떤 생각으로
세상을 살아가는지 궁금하지 않을 수가 없다. 내게 필요하지 않은
것 한두 개쯤은 그것을 필요로 하는 사람들을 위해 내놓을 만도
한데.

온갖 재해가 횡행하는 현대사회, 놀부와 같은 경우는 아니더라도
하루아침에 자신의 전재산을 잃고 남의 도움이 아니면 살아가기
어려운 형편이 되는 경우가 의외로 많다. 혹자는 그 무슨 재수없는
소리냐고 얼굴 찌푸릴지 모르겠지만 요즘같이 사고가 무성한
현실에 오직 당신만 무사할 수 있으리라고 장담할 수 있겠는가.

선행을 많이 베푼 사람에게 하늘은 결코 무심치 않다. 지난 역사를 살펴봐도 그런 사람이 잘못된 경우는 찾아볼 수 없다. 자신의 대에, 아니면 그 후대에서라도 하늘은 반드시 기억해 그 보답을 내리는 것이다.

요즘 사람치고 재난에 대비해 각종 보험을 들지 않는 사람이 없다. 그런데 인생보험은 들었는지? '자선'이라는 인생보험. 시중에는 그야말로 수많은 보험이 있지만 그 중에서도 '자선'이라는 보험이야말로 우리 인생의 행복을 확실히 보장해 줄 보험이라는 것, 당신은 혹시 아는가?

한 점 별빛으로 남을 책, 사랑

19세기 후반.

평생을 극심한 가난 속에서 보낸 영국의 소설가 조지 깃싱은 어느 날 고서점에서 꼭 읽고 싶은 시집 한 권을 발견했다. 가격은 6펜스, 비교적 헐값이었으나 그는 망설이지 않을 수 없었다. 왜냐하면 그 돈은 그가 지니고 있던 전부였으므로.

그러나 그는 눈을 지긋이 감고 그 책을 사 버리고 만다. 며칠을 굶을지언정 마음에 드는 책을 놓치고 싶지 않았던 것이다. 그는 훗날, 그 때의 심정을 다음과 같이 토로한다.

"돈이란 나에게는 마음을 번거롭게 할 만한 것이 못 된다. 나에게는 맛있는 음식보다도 더 욕심나는 것이 바로 책이다. 물론 도서관에 가면 볼 수도 있으나 그것은 내가 가지고 있던 책과는 전혀 다른 것이다. 비록 다 해진 책일지라도 내 책을 읽는 것이 남의 책을 읽는 것보다 훨씬 좋다."

그렇다. 비록 넉넉지 않다 할지라도 사정이 허락할 때마다 책을 사고, 또 그 책을 자기만의 책장에 꽂아 두고 틈틈이 읽을 수 있는 사람. 그 사람은 분명 누구보다도 마음이 풍요로운 사람일 것이다. 한권 한권 사 모은 책이 자신의 책장에 쌓여간다고 생각할 때

그것은 또 얼마나 가슴 뿌듯한 일이랴. 그것이 바로 우리 영혼의
방을 채워가는 일이기에 말이다.

어린 시절에 읽었던 책 속의 이야기는 나이를 먹고 철이 들면서도
오랫동안 기억에 남는다. 특히 감성과 이성이 눈뜨기 시작할
학창시절, 그 사춘기 무렵에 읽었던 책은 우리 가슴에 영원히
지워지지 않는 한 점 별빛으로 남기도 한다. 사실 그 시기의
흔들림을 잠재우는 데 책만큼 훌륭한 것이 또 있을까.
나 또한 예외가 아니었다. 대상도 없는 막연한 그리움에 잠 못
이루던 그 시절, 책은 나의 가장 훌륭한 벗이었으며 연인이었다.
내가 앞으로 어떻게 살아가야 하는지를 가르쳐 주는 인생의
이정표이기도 했다. 그 속에서 난 무엇보다 우리 인생의 가장
보배로운 '사랑'을 배울 수도 있었다.
'옛날에 한 그루의 나무가 있었습니다. 그리고 그 나무에게는
사랑하는 한 소년이 있었지요'라고 시작하는 실버스타인이 쓴
『아낌없이 주는 나무』. 그 책을 기억하는가?
그 책은 10분이 안 걸려 다 읽을 수 있으나 몇 년이 지나가도
그 감동의 파장은 내 가슴 속에서 멈출 줄 몰랐다. 사실 '사랑'에
대해 이 세상의 수많은 학자, 수많은 예술가, 수많은 철학자가
이야기해 왔지만 그 책만큼 나에게 사랑에 대해 명쾌하게 일러 준
것은 다시 없을 듯하다.
그 내용을 다시 한번 되새겨 보자.

한 나무가 자기가 사랑하는 어떤 소년에게 자기의 모든 것을 내어
준다. 그리하여 마침내는 더 줄 것이 없어 못내 안타까워하다가
이렇게 끝을 맺는다.

「오랜 세월이 지난 뒤에 소년은 초라한 할아버지가 되어
돌아왔습니다. 잘려나간 밑동만 남은 나무는 그에게 더 줄 것이
없어 미안했습니다. "얘야, 이젠 네게 줄 것이 없어 미안하구나.
내 밑동에 앉아 쉬거라." 나무의 말에 초라한 노인은 잘려나간
밑동만 남은 나무에 앉아 쉬었습니다. 그러자 나무는
행복했습니다.」

아직도 그 대목은 생각하면 생각할수록 내 가슴에 조용히 감동의 물결을 일게 한다. 사실 사랑에 있어서 자신의 소중한 것까지 모두 줄 수 있는 헌신이 없다면 그것은 이미 향기를 잃은 꽃과도 같을 것이다. 자기의 것을 잃지 않으려고 계산하는 마음 속에선 결코 온전한 사랑의 싹이 틀 수가 없는 법이기에.

사랑하는 아이를 위해서 자신의 모든 것을 아낌없이 줄 수 있었던 나무. 그리하여 마침내는 더 줄 것이 없어 안타까워했던 나무. 그 넉넉한 마음을 접하고 난 이후의 삶은 한결 윤택해질 수 있으리라. 이처럼 순결무구한 사랑 이야기, 수채화 같은 고결한 감동이 바로 책 속에 있다. 자, 오늘 밤은 그런 여운 속에서 잠을 청하자. 단 한두 줄이라도 책을 읽고 잠들면 혹시 아는가? 당신이 못다 이룬 꿈을 만날는지….

별

밤이면 나는 별에게 묻는다.
사랑은 과연 그대처럼 멀리 있는 것인가.

내 가슴 속에 별빛이란 별빛은 다 쏟아부어 놓고 그리움이란
그리움은 다 일으켜 놓고 그대는 진정 거기서 한 발짝도 내려오지
않긴가. 그렇게 싸늘하게 내려다보고만 있을 것인가.

사랑이 죄지

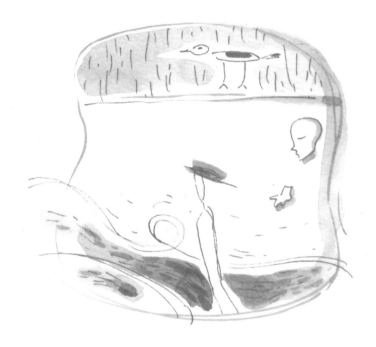

걷다 보니 또 여기까지 왔습니다. 이러지 않기로 수없이 다짐해
놓고 오늘 또 그 약속을 어기고 말았습니다. 그대는 난처한 얼굴로
돌아서지만 내가 무슨 죄입니까, 사랑이 죄지.

그대여, 내 맘대로 할 수 없는 사랑을 탓하십시오.

사랑은 천천히

사랑은 천천히 쌓아 가는 것. 어느 한 순간에 갑자기 이루어지는 것이 절대 아니다. 어린아이가 제대로 걷기 위해서 수없이 넘어지는 것처럼 사랑 또한 그런 과정을 반복한 후에야 비로소 알찬 열매를 맺을 수 있다. 그렇다면 지금 우리 사랑이 어려운 지경에 놓여 있다고 해서 실망할 필요는 없겠지. 쉽게 꺾일 사랑이라면 애초에 시작도 하지 않았을 것이라고 굳게 마음을 먹자. 그를 사랑할 수 있다는 그 사실만으로도 행복해하자. 지금 비록 힘이 든다 할지라도 이 고비만 잘 넘긴다면 사랑은 더욱 튼튼하게 우리 삶의 밭에 뿌리내릴 수 있으니, 지금 겪고 있는 고비로 인해 나중에 더 많은 열매를 맺을 수 있다는 걸로 위안을 삼자. 어려운 상황을 많이 겪고 난 다음의 행복이야말로 얼마나 소중하고 영롱하랴. 사랑은 그렇게 천천히 쌓아 가는 것. 서두르지 않는 인내로 말없이 지켜보는 것.

정성과 노력

나치 독일의 지배자였던 히틀러는 여성과의 교제를 피했다고 한다.
그는 한 여인을 지배하기가 이 세계를 지배하는 것보다
더 어렵다는 것을 이미 알고 있었던 것이다. 한 사람의 사랑을
구하자면 그가 무엇을 좋아하는지를 먼저 알아야 하고, 그 사랑을
지속시키려면 그가 무엇을 싫어하는지까지 동시에 알고 있어야
한다.

정성이 깃들이지 않고선 사랑의 씨앗은 결코 뿌리를 내릴 수 없다.
노력과 인내 없이 사랑의 싹은 자랄 수 없으며, 열정과 신뢰 없이
사랑의 꽃은 피울 수 없다. 또한, 꽃잎이 떨어져야 열매가 생기듯
헌신적인 희생이 따르지 않고선 사랑의 열매는 결코 맺어지지
않으리.

함께 가자, 우리

함께 가고 싶었다. 어떤 길이건 간에 너와 함께 가고 싶었다. 너는
남아 있고 나만 가야 하는 것이 우리의 불행인 것을. 나는 아직도
얼마나 많이 내 뒷모습을 네게 보여야 하는가. 힘없이 늘어져 있을
내 어깨를 네게만은 보여 주고 싶지 않은 나는 차마 사랑한다
말하지 못하고 다만 가슴이 아프다고만 했다.
내 뒷모습을 지켜보다 끝내 고개 떨구는 너도 다만 가슴이
아프다고만 했다. 함께 가자, 우리. 맨손 맨몸이면 어떠랴. 가슴
가득 사랑만 품고 있으면 세상의 그 어느 것도 부럽지 않은데.

5장
텅 빈 관람석

좁은 새장으로는 새를 사랑할 수 없다.
사랑이 깊어질수록 그와는 멀어지도록 노력하라.

내가 당신을 사랑하면 할수록
더 철저하게 외로워지는가 봅니다.

막차

막차를 타고 싶었습니다.
그대와 나만의 이야기로
지새울 수 있는
그런 곳으로 가고 싶었습니다.
막차를 타고….

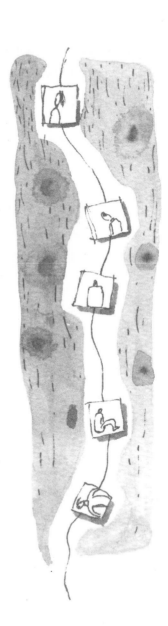

사랑은 소리없이 와서

만약 당신에게 사랑의 경험이 있다면 조용히 한번 뒤돌아보라.
사랑이 거창하게 당신에게 다가왔는지, 아니면 그저 당신도 모르는
새 다가왔는지를.

다 그런 것은 아니겠지만 대개 사랑은 거창하게 오는 것이 아니다.
또, 온다는 신호를 내며 다가오는 것도 아니다. 발자국 소리도
없이, 아주 작은 숨소리 하나라도 내지 않고 사랑은 다가와서
순식간에 우리를 사랑의 불에 휩싸이게 한다.

그렇다면 다시 한번 생각해 보자. 소리소문도 없이 사랑이 다가온
뜻은 무엇이겠는가? 그것은 조용하게 떠나겠다는 뜻이다. 올 때도
조용히 왔으니 갈 때도 조용히 떠나겠다는 암시. 그러니 어느 날
갑자기 사랑이 떠나갔다고 호들갑을 떨 필요가 없다. 잠깐 환희로
타올랐다가 금세 고통의 재만 남았다고 한숨만 쉬고 있을 필요가
없다. 사랑이란 원래 그런 것이다. 붙기만 하면 훨훨 타올랐다가
재만 남기고 사라지는 장작불 같은 것. 사랑했으므로 내 모든 것이
재만 남았더라도 사랑하지 않아 나무토막 그대로 있는 것보다야
낫다.
장작이야 원래 때라고 있는 것.

사랑할 수 있었다는 것만으로도

살다 보면 사랑하면서도 끝내는 헤어질 수밖에 없는 상황에
부닥치는 경우가 많습니다. 그럴 때는 둘이 함께 도망을 가십시오.
몸은 남겨 두고 마음만 함께.

현실의 벽이 높더라도, 그것을 인식했더라도 사랑하지 않을 수
없는 사랑, 그것이야말로 진실한 사랑이지만 어찌합니까. 현실을
외면한 사랑은 두 사람이 다치기 십상인데. 나만 아플 테니 그대는
이 자리를 피하십시오. 먼저 가 있으면 언젠가 나도
따라가겠습니다. 혹시 못 가게 되더라도 상심하지 마십시오.
이 세상을 살아가면서 우리가 만날 수 있었고, 또 사랑할 수
있었다는 것만으로도 충분히 행복했으니.

사랑의 종착역

무작정 역으로 나갔습니다. 오늘쯤 그대가 올 것이라는 막연한
예감만 믿고. 하루종일 눈 내린 오늘, 내 슬픈 사랑은 어디쯤 오고
있는지, 우리들 슬픈 사랑의 종착역은 어디 있는 것인지 나는
역 대합실 출구 앞에서 소리죽여 그대의 이름을 불러 봅니다.
그러면 그대도 덩달아 내 이름을 부르며 나타날 것 같았습니다.
그러나 그대는 기어이 오지 않았습니다. 수많은 사람들이 출구를
빠져나왔지만 그대와 닮은 사람 하나 찾아 볼 수 없었습니다. 그런
중에도 눈은 하염없이 내리고 내 마음은 한 자리에 못 있습니다.
그대여, 아직까지 기차를 못 탔다면 지금이라도 타십시오. 눈발이
한없이 쌓여 길을 막는 일이 있다 해도 난 기다리겠습니다. 우리
사랑의 힘으로 기차는 끝내 도착할 것이고 그리하여 그대와 난
따스한 손 비비며 하나될 것을 믿기 때문입니다. 그대여, 빨리
오십시오. 그리움으로 난 목이 마릅니다.

첫눈 내린 날 내 가슴은

첫눈이 내렸습니다. 첫눈이라는 말만 입에 담더라도 내 가슴은
한없이 너른 들판이 되고 말지요. 설혹 당신이 스쳐지나간다
할지라도 선명한 발자국만은 남는, 그런 너른 가슴으로 당신을
껴안는 들판이 되고 말지요.

첫눈이 내렸습니다. 첫눈이라는 말만 입에 담더라도 나는 조용히
눈을 감게 되지요. 그러면, 쓸쓸한 내 마음의 간격 사이로도 눈이
내리고, 저 너머 빈 들판에서 홀로 서 있는 나무가 떠오릅니다.
당신은 나를 버렸음에도 나는 결코 당신을 버릴 수 없는 첫눈 내린
날의 내 가슴.

첫눈이 내렸습니다. 이제 그만 내렸으면 좋겠습니다.

그가 평범하게 비치기 시작할 때

사랑이란 꿈같은 거다. 깨어나고 나서 정확히 판단할 수 있다는
뜻에서. 남의 눈에는 평범하기 그지없는 사람임에도 불구하고
그 사람을 사랑하는 대상에겐 그처럼 특별한 사람은 이 세상에
단 한 사람도 없다. 자기만의 독특한 시선으로 그 사람에게 영상을
덮어씌우고, 또 자신이 덮어씌운 영상에 도취해 정신없이 빠져드는
것이 바로 사랑이 가진 속성이므로. 사실 냉철하게 판단할 수 있는
눈이 있다면 내가 사랑하는 그 사람이 이 세상에서 가장
매력적이고 멋진 사람이 아닐 수도 있다는 것을 깨달을 텐데.
하기야 사랑에 빠진 사람의 눈에 무엇이 제대로 비칠 수 있으랴.
문제는 바로 거기서부터 시작된다. 하룻밤만 지나도 꿈에서
깨어나는 것처럼 사랑의 환영 또한 한평생 지속되는 게 아니기
때문에 늘상 그 다음부터가 문제가 되는 것이다. 그 사람의 모습이
제대로 비치기 시작할 때, 말하자면 환상에서 깨어났을 때의
허무함과 실망감은 당사자에게 견디기 힘든 시련이 될 수도 있는
것이다. 그 사람이 달라진 것이 아니라 사실은 자신이 정상적인
상태로 되돌아간 것에 불과한데도 말이다.
당신이 사랑하는 그 사람이 평범한 사람으로 비치기 시작할 때,

그 때 당신은 정말 주의를 기울이지 않으면 안 되리라. 바야흐로
그 때야말로 당신의 사랑이 갈림길로 들어선 때이니까. 상대가
그렇게 변한 게 아니고 그 사람을 바라보는 당신의 눈과 마음이
원래대로 되돌아간 것뿐이라는 것을 빨리 시인할 수만 있다면
어쩌면 당신이 느끼는 절망감 또한 무난히 극복할 수 있을 것이다.
그리하여 특별한 것이 아닌 평범한 것이 얼마나 가치있는지,
우리가 살아가는 데 있어 특별한 것보다 평범한 것이 얼마나 큰
미덕인지, 그래서 진정한 사랑의 가치에 눈을 뜰 수 있을 것이다.

헤어진 연인에게 신의 큰 축복이 있나니

헤어진 연인에게 가장 많은 신의 축복이 따른다고 말하면 얼굴
찌푸릴 사람이 많을 것이다. 하지만 조용히 한번 생각해 보자.
헤어지지 않았을 때에는 그의 못난 점만 보였겠지만 헤어진
지금엔 어떠한가. 그의 괜찮은 모습만 온통 내 마음을 차지하고
있지 아니한가.

사랑은 멀고 높은 데 있는 게 아니라

가슴이 허허로울 때가 많다. 별다른 이유없이 쓸쓸해지고 공허해질
때가 많은 것이다. 나는 그것이 나이를 먹어가고 있기 때문이라고
생각했다. 나이를 먹어간다는 것은 그만큼의 삶의 무게를 짊어져야
하는 것이기에. 하지만 그것 때문만은 아니었다. 나만이 아닌 다른
많은 사람들도 끊임없이 쓸쓸해하고, 외로워하고 있었으니까.
그래서 심사숙고 끝에 내가 내린 결론은 이렇다. 그것은 우리 가슴
속에 가득 차 있어야 할 사랑이 부족해서, 라고.

물질이 풍요로워지고 생활은 윤택해졌지만 불행하게도 우리는
그 반대급부로 사람냄새를 맡기가 어려워졌다. 생각해 보라.
수레바퀴처럼 바쁘게 돌아가는 생활을 핑계로 내 이웃과
내 친구를, 심지어는 내 가족조차 얼마나 등한시해 왔는가를.
내 주변의 것들을 진정 애정어린 눈으로 바라본 적이 있는가를.
정신없이 달려가다 보니 우린 정말로 소중한 것들을 많이
잃으면서 살아 왔다. 덕분에 지폐는 많이 쌓여가고 소지품은 많이
늘어났을지 모르지만 그것들이 우리 텅 빈 가슴들을 모두 채울
수는 없었다. 그래서 나는, 아니 우리는 쓸쓸했다.

그런 어느 날, 나는 모 신문에 난 어느 주부의 글을 읽었다.
소아마비를 앓아 한쪽 다리가 몹시 불편한 자식을 처음으로 소풍
보내고 나서 안절부절못하는 모정을 그린 내용이었다. 걷기에도
힘겨운 그 아이가 머나먼 길을 무사히 다녀와 어머니에게
요구르트 병을 선물로 내미는 대목에 이르러선 저절로 눈물이
나왔다. 생각해 보면 평범한 일상일 수도 있었지만 주인공들의

애정이 듬뿍 담긴 장면이었기에 나는 감격했고, 메마른 내 가슴에
숨겨져 있던 눈물이 쏟아져 나왔던 것이었다.

그렇다. 사랑은 결코 큰 것이 아니다. 멀고 높은 곳에 있는 것도
아니다. 그것은 바로 내 근처에, 손 내밀면 잡을 수 있는 낮은 데에
있는 것이 아닌가. 그 감동이 얼마나 컸던지 나는 그 이야기를
어느 책에 소개했고, 참으로 우연찮게도 그 책을 읽은
그분으로부터 한 통의 편지를 받을 수 있었다. 그분은 자신들의
이야기가 적힌 그 대목을 보고선 이렇게 적었다.

·

선생님의 책을 접고 접으며 읽던 중 갑자기 태풍을 만났습니다. 그곳에서
만난 제 이야기, 아니 한철이 이야기. 힘들었지만 절망하거나 불행하지
않았던 것이 이런 힘이 아니었나 싶습니다. 소망이 늘 제 지치고 힘든 등을
받쳐 준 날들의 보상이었습니다.

지금 한철이는 중학교 2학년이고 엄마인 저는 아이에게 다리수술을
여덟 번 시키고도 이렇게 튼실한 몸으로 살아가고 있습니다. 아이를 병실에
두고 병원으로 직장으로 뛰던 날들을 생각하며 더욱 열심히 살아가리라
다짐하고 있습니다.

오늘 한철이는 어린이 유치원에서 자원봉사를 하고 왔습니다. 그리고는
농업고등학교를 가려던 진로를 바꿔야겠다는 말을 했습니다.

유아교육학과를 가고 싶다고.

알아서 하라고 했습니다. 어떤 길이든 말리지 않겠다고. 너무 힘들게 큰
아이라서 그런지 세상의 어려움을 너무도 잘 이기고 있습니다. 이 아이가
제 곁에 있다는 것이 얼마나 큰 행복인지 모릅니다....

인연이란 참으로 묘한 거였다. 신문에 실린 한철이 어머니의 글을
읽고 내가 또 거기에 대한 글을 쓰고, 또 내 책을 읽은 그분이
그에 대한 편지를 보내오니. 기실 고마움을 느껴야 하는 쪽은
그분이 아니라 내가 아니던가. 내가 더욱 감동을 느낀 것은 그 때
편지와 함께 보내 온 그분의 시였다.
한철이가 태어나서 성장하기까지의 과정이 모두 다 시로 담겨
있었는데, 그것은 차마 가슴이 아파 읽을 수 없는 것들이었다.
명색이 시인인 내가 이토록 감동할 수 있는 시가 다 있다니.
태어난 지 삼 개월만에 한철이의 다리에 쇠를 박고, 신지 않으려
떼를 쓰는 아이에게 강제로 보조기를 신기고, 수술을 마치고
그 아픈 중에도 오히려 우는 엄마를 위로하는 한철이를 보면서
나는 걷잡을 수 없는 눈물을 쏟기도 했다. 때로는, 연약한
아이에게 그 엄청난 시련을 겪게 한 신을 원망하기도 했다. 하지만
무엇보다도 내 가슴을 가장 뭉클하게 했던 것은 한철이와
그 아이의 가족이 보여 준 따뜻한 가족애였다.

그래서 나는 자신있게 말할 수 있다. 사랑이 얼마나 위대한
힘인가를. 어려운 일이 많았지만 그 어려움들을 온 가족이 함께
부여안고 이겨나가는 모습은 참으로 눈물겨웠노라고. 이렇듯 서로
껴안으면 어떤 불행도 다 극복해 나갈 수 있다는 것을. 그 뒤에
다가오는 삶은 또 더욱 눈부시다는 것을. 이렇듯 사랑이란 것은
서로 번져가는 것임. 내가 너에게 준 사랑은 거기에 머물지 않고
또 다른 사람에게 옮아간다는 사실을.

가능하다면 나는 그분의 시들을 세상에 내놓아 많은 사람들의
가슴 속에 잠자고 있는 사랑을 깨워 내고 싶었으나 아쉽게도 그런
기회는 아직 찾지 못했다. 우리 삶의 진솔한 모습들이 바로
'문학의 참 모습'이라는 것이 틀리지 않다면 언제고 그분의
옥고는 빛을 볼 때가 있으리라.

이제 우리도 한철이네 가족처럼 서로 부여잡고 살자. 내가 너의
어깨에 기대고, 네가 나의 어깨에 기대면 세상은 한결 수월하고
아름답다. 가족의 사랑을 듬뿍 받은 한철이가 올곧게 자라 남에게
사랑을 베풀 수 있는 것처럼 사랑은 받은 사람이 베풀 수 있다.
베풀 수 있는 사람이 또한 받을 수 있다. 이 쉽고 간단한 진리를
우리는 그 동안 너무 잊고 살았던 것은 아닐까. 그래서 우리의
가슴에 쓸쓸한 바람만 잔뜩 일었던 것은 아닐까.

남을 책망하는 그 마음으로 나를 책망하라

왜 남을 원망하는가. 그 해답은 어디 먼 곳에서 찾을 것도 없다.
자신의 허물은 보지 못하고 남의 허물만 보려 하기 때문이 아닐까.
어떤 일의 결과가 좋지 않은 쪽으로 나타나면 서둘러 변명할
구실부터 찾는 사람이 있다. 이럴 경우, 반드시 표시되는 것이
남에 대한 원망이나 그 일의 조건에 대한 불만이다. 자신의 잘못은
어떻게든지 감추고 숨기려고만 든다.
그것이 도를 넘어 자기 인생에 대한 일이라도 그렇다. 궁극적으로
자기 인생에 대한 책임을 자기가 져야 함에도 불구하고 그것을
자꾸만 남에게 떠넘기려 하는 것이다. 그래서 어쩌자는 것일까.
그래서 하등의 도움이 없는데도 우리는 너무 그런 일에 익숙해져
있다.

비근한 예를 한번 들어 보자. 맞선을 보아 결혼한 사람이 한 달도
못 가 파탄에 이르렀다고 가정해 보자. 이럴 경우엔 십중팔구는
그 원망이 중매자에게 쏠리게 마련이다. 다만 중매를 섰다는
그 이유 하나만으로.
여기서 우리의 우매함은 단적으로 나타난다. 기실 중매를 선

그 사람에게 무슨 잘못이 있을까. 있다면 선택을 잘못하고
결혼생활을 무난하게 이끌고 가지 못한 당사자들에게 있을 뿐.
그런데 우리는 중매자에게 자기 인생을 망쳤다고 거침없이 멱살을
잡기도 한다.

이야기가 너무 비약되었다는 것은 나도 인정한다. 그러나 과연
우리 주변에 이런 일들이 전혀 없다고 단정할 수 있을까.
씁쓸하지만 우리는 인정할 수밖에 없다. 실제로 우리 주변엔 그런
일들이 심심찮게 보이는 것이다.

사실 남을 원망한다는 것은, 남에게 자기의 못난 점을 표출시키는
것 외엔 별다른 뜻이 없다. '너 때문에 일이 이 모양이다',
'너 때문에 인생을 망쳤다' 이런 말들은 남에게 빈축만 살 뿐,
일말의 동정심도 유발시키지 못하는 것이다.

앞서도 말했지만 자기의 인생을 자기가 책임지지 못하고 남에게
미룬다는 자체가 어리석음의 극치다. 또한 그것은 문제 해결의
본질에 접근하기보다는 점점 문제를 어렵고 복잡하게만
만들 뿐이다. 자신의 잘못을 솔직히 시인하고 대책을 마련하면
수월할 일을 가지고 공연스레 남의 탓만 하다가 재기할 기회조차
놓치게 되는 것이다. 그러한 일이 우리 주변엔 의외로 많다.

한 수행자가 있었다. 깊은 산 속 바위 위가 그의 집이었다.
비바람도, 굶주림도 그에게는 관계없었다. 오직 명상의 기쁨
속에서만 살았다. 그러한 그에게 어느 날 한 친구가 책을 보내왔다.
너무나 고마운 선물에 기뻐하며 그는 그 책을 읽었다. 그런데

다음 날 아침에 책을 보니 쥐가 표지를 갉아먹었다. 그는 쥐를
쫓기 위해서 고양이를 구했다. 그는 또 고양이에게 우유를 먹이기
위해서 암소를 구했다.

이렇게 되자, 그는 혼자서 도저히 감당할 수 없었다. 따라서
그들을 돌볼 여자를 구했고 이번에는 그녀를 위해 집을 지었다.
몇 년이 지나니 귀여운 아이가 생겨났다.

그는 이제 더 이상 명상에 전념할 수가 없었다. 그는 왜 이렇게
사건이 커졌는지 곰곰이 생각해 본 끝에 결국은 이 모든 일이
한 권의 책에서부터 비롯되었다는 것을 깨달았다.

생각하기에 따라서 이 일화는 우리에게 많은 것을 던져 둔다.
그러나 나의 생각은 좀 다르다. 그 이야기의 마지막 부분이 영
개운치 않은 것이다.

그 수행자는 분명, 그 모든 사건의 원인이 책에서 비롯됐다는 것을
알고 그 책을 보내 준 친구를 원망했을 것이다. 그렇다면
그 수행자는 수행이 한참 모자란 셈이다. 왜냐하면, 사건의 발단이
책에서부터 비롯된 게 아니었기 때문이다.

사건의 발단은 책을 잘못 보관한 그 수행자에게 있는 것이 아닌지.
만약 쥐가 갉아먹지 않게끔 처음부터 잘 보관했더라면 나중의
일이 그렇게 커지지는 않았을 것이다. 쥐가 책표지를 갉아먹은
다음이라도 그렇다. 자기에게 잘못이 있다는 것을 인정하고 더욱더
주의했더라면 될 일을 가지고 공연스레 고양이를 들여놓아 일을
더욱 번지게 하지 않았던가.

좀더 문제의 본질에 접근해 보자. 사람은 누구나 주고자 하는 마음보다 받고자 하는 마음이 강할 때 불만과 원망이 생긴다고 한다. 말하자면, 주고자 하는 마음이 강할 때 상대방에 대한 원망이 일어날 리가 없는 법이다. 있다면 보다 더 많이 주지 못한 데서 야기되는 안타까움만 있을 뿐.

따라서, 자기의 잘못을 인식하기보다 자꾸만 남의 잘못을 책망하는 것은 기본적으로 상대방에 대한 사랑이 부족한 탓이다. 다소 자기에게 손해가 있다 하더라도 자기의 가슴 속에 사랑이 충만하다면 얼마든지 그 정도는 수습할 수 있는 것이다. 이치는 그렇다. 그러나 우리는 남을 사랑하기보다 원망하는 데 익숙해져 있다. 잘된 것은 자신의 탓이라고 마냥 우기면서 잘못된 것은 무조건 남의 탓이다. 이런 모든 것이 자신은 전혀 손해를 입지 않으려는 현대사회의 이기적인 풍조와 결코 무관하지 않다. 그렇다면 참으로 큰일이다. 실상 남을 원망한다는 자체가 사회의 모든 악을 조성시키는 원바탕이 되지 않던가. 그것이 자신에게도 하등 이익이 될 게 없는데도 말이다. 이럴 때 『법구경』에 있는 석가의 금언을 다시 한번 되새기는 것도 마음을 누그러뜨리는 좋은 수양법이 될 듯.

'참으로 남을 원망하는 마음으로서는 누구에게도 그 원망을 풀지 못한다. 다만 원망을 떠남으로써만이 원망을 풀 수 있다.'

우리는 지금 어디로 가고 있는가

'위기의 여자' 라는 연극이 있었다. 무력감과 상실감, 그리고
남편에 대한 배신감으로 인해 한 중년 여인의 삶이 위태롭게
전개되는 내용인데, 그 연극에 많은 여성들이 호응했음은
물론이다. 소극장 한 켠에 쪼그리고 앉아 그 연극을 지켜보고 있던
나는 공연이 무르익을수록 점차 '위기의 남자' 로 전락되어 가는
나를 발견할 수가 있었다.
치밀어오르는 분노를 애써 눌러 두고 있는 듯한 여자들의 숨소리.
자신들이 불행해지는 이유는 다 '웬수' 같은 남자들 때문이
아니겠는가, 라는 선동적인 주제도 그 연극은 다분히 가지고 있어
나는 조심스러울 수밖에 없었는데 아뿔싸 나는 훌쩍이고 있던
웬 여자의 눈과 정면으로 마주쳐 버렸다. 남자에 대한 강한 부정을
보이고 있는 그 여자의 사나운 눈빛에서 갑자기 뒷머리카락이
솟구치는 듯한 두려움을 느낀 바, 뒷걸음질을 치지 않을 수가
없었다. 그 때부터 난 '위기' 라는 말만 들어도 몸서리치게 되는
부끄러운 기억을 갖게 되었는데…, 요즘 난 괴롭다. 도처에서
난무하는 '위기' 라는 말 때문에.
진실로 요즘 '위기' 아닌 것이 있으면 나와 보라. 정치나 경제는

물론 사회전반에 걸친 이 위기의식 때문에 참으로 우리는
아슬아슬한 하루를 보내고 있다. 하기야 우리 인생을 누군가는
'줄을 타는 곡예' 라고 표현하기도 했더라만, 어떨 땐
그 밟고 있는 외줄마저 끊어질까 봐 조마조마하다.
구체적인 열거는 생략하더라도 도처에서 벌어지고 있는 '자살
증후군' 을 어떻게 이해할 것인가. 부도위기에 처한 중소기업
사장의 자살. 오르지 않는 성적을 비관한 중·고교생들의 자살.
딸의 팔짱을 끼고 행복하게 결혼식장으로 들어서야 할 아버지가
과다한 혼례비용을 감당하지 못해 스스로 목숨을 끊었다는 대목에
이르러선 할 말을 잃는다. 일찍이 부처님께서 『법화경』에서
말씀하신 '五濁惡世' 가 바로 이런 것인가 하는 두려움마저 이는
데야 절로 한숨이 나올 지경이다. 시대가 흐리고, 번뇌가 흐리고,
사람이 흐리고, 견해가 흐리고, 생명이 흐리다는 다섯 가지 탁한
세상.

나는 지금 어디로 가고 있으며 어디까지 왔는가. 내 옆에는 누가
있으며, 내 주변의 풍경은 어떠한가. 달리는 데만 급급해서 무엇
때문에 어디를 향해 가고 있는지 모르고 있지는 않는가.
그렇다. 그 동안 우리는 너무 달리는 데만 급급했다. 달리지
않으면 큰일난다는 듯이 오로지 달리고 또 달릴 뿐이었다. 그 끝이
결국 무덤밖에 더 되겠는가. 남보다 더 빨리 달려야 한다는
조바심으로 거치적거리는 것이 있으면 차 버리고 심지어는
내 가족 내 친구의 얼굴도 잊고 지냈다. 짓밟고 일어설

경쟁상대로서의 남은 있으되 동반자로서의 남은 없었다. 그래서
얻은 게 무엇인가?
냄새나는 지폐 몇 장? 남보다 더 안락한 의자? 하지만 그걸 손에
넣기 위해 잃어야 하는 것도 있다는 것을 생각해 본 적이 있는가?
잃어 버린 그것이 우리 인생에 더 중요한 것일지도 모른다는
생각은 또 가져 보았는가?

지은 지 3년 되는 집을 헐 때의 이야기라 했다. 인부들이 작업을
하는 도중, 꼬리 쪽에 못이 박힌 채 기둥에서 움직이지 못하고
있는 도마뱀 한 마리를 발견하게 되었다. 확인해 본 결과 그 못은
집을 짓던 3년 전에 박은 못이 분명했다. 그렇다면 3년 동안
꼼짝도 할 수 없었던 이 도마뱀이 어떻게 살 수가 있었을까?
궁금해진 인부들은 잠시 공사를 중단하고 그 도마뱀을 지켜보았다.
그랬더니 다른 도마뱀 한 마리가 나타나 입에 물고 있던 먹이를
그 도마뱀 앞에 놓아 주는 것이 아닌가. 말하자면 그 도마뱀은
하루에도 몇 번씩 먹이를 물어 주는 친구 덕분에 3년이란 긴 세월
동안 목숨을 부지할 수 있었던 것이다.
당신에게는 그런 사람이 곁에 있는가? 하루 일과를 마치고 집으로
돌아올 무렵 문득 올려다 본 서녘 하늘에서 노을이 질 때, 골목길
모퉁이에서 모락모락 김이 나는 포장마차를 지날 때 공중전화를
찾아 전화를 걸 사람이 몇 명이나 있는가? 많은 사람이 아니라
단 한 사람이라도 내 생각과 느낌을 숨김없이 털어놓을 수 있는
그런 사람이 과연 있긴 있는가?

불행하게도 요즘 우리는 사람보다 물건에 더 마음이 점령당해
있다고 해도 과언이 아니다. 마음에 드는 물건이 있으면 어떤 수를
써서라도 다 갖춰 놓으려고 하지만 사람은 선뜻 자기 가슴 속으로
들여 놓으려 하지 않는다. 거리를 지나치면서 온갖 물건에는
다 관심을 보이지만 막상 사람들의 얼굴은 쳐다보지 않는 세태.
세상이 점점 더 각박해진다고 하는 것은 어쩌면 우리가 마음의

벽을 높이 쌓아 두고 있었기에 세상엔 아마도 불신과 싸움이 끊일
날이 없었을 것이다.

이 계절이 더욱 쓸쓸한 것은 그것 때문이다. 망종스런 정치가들의
행태나 어수선한 경제보다도 우리의 가슴 속에 들어 있어야 할
그 무엇, 진정 우리 가슴에 따뜻한 온기를 전해줄 사람다운 사람이
부족하다는 데 있다.

이제 머지 않아 바람 차가운 가을, 그리고 곧 추운 겨울이
닥치리라. 그 때를 대비해서 우리 모두 따뜻한 난로 하나를 갖춰
놓음은 어떨지. 굳이 돈을 들여서 갖출 생각 하지 말고 자기
자신이 난로가 되면 어떨는지? 내가 우선 뜨거워져야 주변에 있는
사람들의 가슴도 데울 수 있는 게 아닌가.

밤마다 나를 유인하는 별빛이여

감히 당신이라 불러 보네. 저 홀로 싸늘히 빛나는 별빛을 가슴에
안듯 그렇게 시린 마음으로. 당신의 창가에도 저 별빛은 내리겠지.
아니 더욱더 유별나게 빛나리라 믿고 싶은 것은 거기에 내 마음이
담겨서이네. 새벽이 오면, 그리하여 저 별빛 또한 사라지면
내 지친 사랑도 잠깐 쉬어갈 수 있을까.
다시 한번 당신이라 불러 보네. 밤마다 나를 유인하는 별빛 속에서
나는 출렁이고, 언제나 그렇듯 당신은 저만치 냉랭히 서 있네.
사랑이여, 아득히 멀기만 한 사랑이여, 내가 여기서 서성이고만
있는 것은 그대 곁에 갈 용기가 없어서가 아니다. 그대를 가까이
하지 못함은 그러한 까닭이 있기 때문이니, 그 이유를 묻지 마라.
그 이유가 내 괴로움의 근본이니.

바보 같은 사랑

돌이켜보니, 사랑에는 기다리는 일이 9할을 넘었다. 어쩌다 한번
마주칠 그 순간을 위해 피를 말리는 기다림 같은 것. 그 기다림
속에서 아아 내 사랑은, 내 젊음은 덧없이 저물었다. 하기야
기다리는 그 사람이 오기만 한다면야 어떠한 고난도 감내할
일이지만 오지 않을 줄 뻔히 알면서도 마냥 기다리고만 있었던
우직스러움. 그래, 사랑은 그런 우직한 사람만 하는 거다. 셈이
빠르고 계산에 능한 사람은 사랑에 빠지지 않는다. 사랑에 빠진 척
얼굴만 찌푸리고 있지 잘 살펴보면 언제라도 달아날 궁리만 하고
있는 사람들이다. 그래, 사랑은 그런 우직한 사람만 하는 거다.
남들은 미쳤다고 하는 일을 서슴없이 하는, 오지 않을 줄 뻔히
알면서도 그대가 오기 전까지는 결코 한 발자국도 떼지 않는
미련한 사람들. 그래, 사랑은 그런 우직한 사람만 하는 거다. 모든
걸 다 잃는다 해도 스스로 작정한 일, 떨어질 줄 뻔히 알면서도
마지막 순간까지 제 한 몸 불태우는 단풍잎처럼.

고난과 기다림 끝에

겉으로 보기에 불행해 보이는 사랑이 오히려 축복이 될 수도
있다는 것을 깨달을 것. 사랑의 본모습은 원래 속살 깊이 감추어져
있는 것이다. 겉모습만 보고 판단하는 것은 조개만 보고 그 속에
감추어진 진주는 보지 못하는 우매한 짓이 아닐까. 우리 삶이
그렇듯 사랑 또한 지금 이 순간이 전부는 아니다. 지금 이 순간이
괴롭고 힘들다고 해서 사랑을 포기하는 사람은, 앞으로 다가올
미래를 포기하는 것과 같으며 또한 신이 인간에게 내려 준 선물을
포장도 뜯지 않은 채 던져 버리는 바보나 마찬가지다. 사랑은
쉴새없이 노력하는 자의 것이다. 고난과 기다림 끝에 은빛 영롱한
진주가 탄생된다는 것을 기억한다면 당장의 시련으로 인해
낙담하고 있을 필요가 없다. 그 시련으로 인해 당신의 사랑은 더욱
알차게 영글 것임을 명심하라.